丁坝水流及冲刷

——可视化与三维数值模拟

彭　静　著

黄 河 水 利 出 版 社

图书在版编目(CIP)数据

丁坝水流及冲刷：可视化与三维数值模拟／彭静著.
郑州：黄河水利出版社，2004.11
ISBN 7－80621－859－9

Ⅰ.丁… Ⅱ.彭… Ⅲ.丁坝－数值模拟 Ⅳ.TV863

中国版本图书馆CIP数据核字(2004)第115034号

出 版 社:黄河水利出版社

地址:河南省郑州市金水路11号　　邮政编码:450003

发行单位:黄河水利出版社

发行部电话及传真：0371－6022620

E-mail:yrcp@public.zz.ha.cn

承印单位:黄河水利委员会印刷厂

开本:850 mm×1 168 mm　1／32

印张:4.375

字数:121千字　　　印数:1—1 000

版次:2004年11月第1版　　　印次:2004年11月第1次印刷

书号:ISBN 7－80621－859－9／TV·380　　　定价:15.00元

目　录

1 概　述

1.1 丁坝水流特征

丁坝是水利工程中广泛使用的护岸建筑物。丁坝可以保护堤岸免予冲蚀，维持航道水深，保持河道原有形态。近年来，随着对河道生态环境问题的逐渐重视，丁坝也开始用于改善河道的生境条件，增强河道的形态多样性。图 1-1 为实际河道中建造的丁坝。

图 1-1　实际河道中建造的丁坝

设置丁坝的主要作用可以归纳如下：

(1) 改变水流方向，降低近岸水流流速，保护河岸及河床免予冲刷。

(2) 保持正常的河宽及水深，维持航道。

(3) 调整局部冲淤，诱导河滩堆积物，建立新河岸。

(4) 增强水流及地形的多样性，改善河道的局部生境条件。

丁坝近体水流流态呈强三维紊流特征，其中包含了许多复杂的流动现象，如分离流、旋转流、曲线剪切层、高紊动强度以及自由表面变化等。图 1-2 为丁坝近体水流流动结构平面示意（Klingeman et al, 1984）。

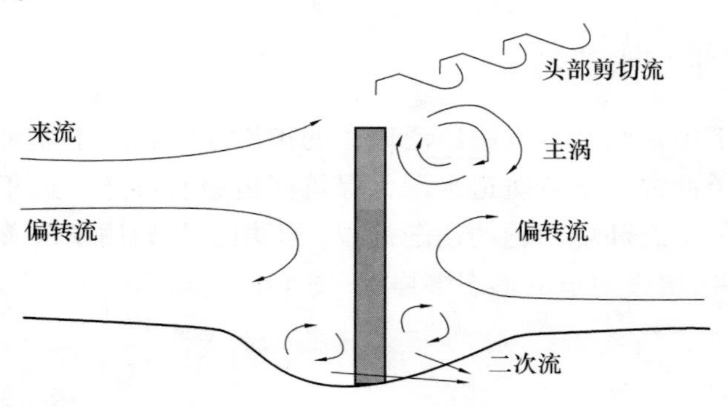

图 1-2　丁坝近体水流的复杂流动形态示意图

丁坝的修建将引起局部河道河床的冲刷和淤积。现场测验表明，丁坝坝头会发生冲刷，而淤积将主要发生在坝后回流区。图 1-3 为某一丁坝附近实测地形等值线图（Klingeman et al, 1984）。

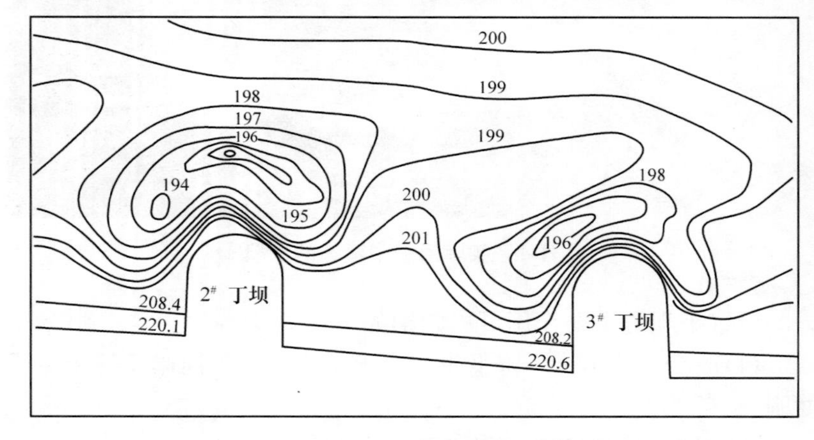

图 1-3　丁坝附近河床地形等值线图

关于丁坝坝头的冲刷深度，目前已有许多研究成果。从丁坝结构设计的角度，丁坝坝头的最大冲刷深度对坝体结构的稳定十分重要，坝体基础必须埋设在可能的最大冲刷深度之下，才能保证丁坝结构的运行安全。

早期关于丁坝的研究主要以试验手段为主。Ahmed（1953）进行了第一个关于丁坝近体水流流动的试验，该试验成功记录了丁坝附近水面高度的变化。Garde 等（1961）和 Gill（1972）通过试验，研究了因丁坝所产生的流动流线缩窄对下游回流区长度和宽度的影响，从而分析丁坝对水流的扰动现象。Rajaratnam 和 Nawachukwu（1983）也通过室内试验，测量了丁坝附近的流速场，重点分析了回流区长度与丁坝长度的关系。近年来，Muneta、Shimizu（1994）、Fujiwara 等（1995）、Tominaga 和 Shiba（1996）陆续进行了淹没丁坝水流流场特性的试验研究，并开始研究丁坝附近的紊流特性。

随着计算机及数值模拟技术的发展，采用数值模拟的方法研究丁坝水流流动特性得以迅速发展。从近年的成果来看，Tingsanchali 和 Maheswaran（1990）应用二维深度平均水流模型和经系数修正的 k-ε模型，计算了丁坝附近的河床应力分布；Chaudhry 和 Khan（1995）开发了计算丁坝水流的一、二维模型，在算法上采用了隐式 ADI 和显式 MacCormack 相结合的模式，紊流模型采用的是最简单的涡黏系数方法；Mayerle 等（1995）应用其三维紊流模型，在水深方向采用静水压假定，模拟计算了丁坝附近的流场；值得一提的还有 Ouillon 和 Dartus（1997）的工作，他们采用标准 k-ε模型进行了丁坝水流的三维紊动模拟，并采用一种假设孔隙介质的方法跟踪移动水面，替代了原来的水面静水压假定，从而提高了对丁坝分离流再附着长度的预报精度。

准确预报丁坝近体流场的困难在于丁坝近体水流流动结构的复杂性。丁坝的修建会引起水流流线缩窄及局部水流流动结构的剧烈改变。坝头分离流、坝尾脱离流和坝后回旋流的共同影响，使丁坝近体水流流态呈强三维紊动特性，加之局部泥沙冲淤平衡重新调整，从而引发新的冲淤发展过程，使丁坝结构体周围水流流动及泥沙输运过程变得十分复杂。就其流动特征而言，必须采用三维紊流模型来描述丁坝近体水流流动结构。但要将分离流、回旋流等流动特征以及自由表面和河床地形的变化同时在三维模型中加以考虑，并非一件容易的事情。

本书是作者三年多有关丁坝的试验及数值模拟工作的总结，主要从以下几个方面做了分析：

(1) 丁坝附近流场的可视化试验研究。

(2) 丁坝近体水流流动的三维数值模拟方法。

(3) 丁坝近体河床冲淤变化数值模拟方法。

(4) 丁坝近体水流流动结构，包括平均流动特征、紊流特征及冲淤变化分析。

(5) 从技术支撑丁坝结构设计的角度，分析丁坝的主要设计参数与流场特性之间的关系。

1.2 本书内容

本书包括丁坝试验研究和数值模拟研究两方面的成果，全书共分为 8 章。

第一章，概述，介绍研究背景及全书主要内容。

第二章，丁坝近体水流流动的可视化试验研究。介绍可视化试验的测量方法，应用颜料示踪法及油膜法试验研究了丁坝近体及近床面的回流结构，用点测速仪测量了丁坝附近的三维流场。

第三章，介绍三维紊流模型的控制方程及模型方法，总结了多种紊流模型的主要特点，重点分析了标准 k-ε模型、Zhu-Shih k-ε模型、Speziale-Thangam 的 RNG 模型、Launder-Kato 的 k-ε模型以及 Shih 等发展的非线性模型对丁坝分离流动的预报特性。

第四章，介绍了三维紊流模型的数值离散方法及其求解。详细介绍了采用有限体积法（FVM）对三维紊流方程的离散过程，其中对对流项的处理采用了改进的 QUICK 模式。离散方程中的速度－压力耦合关系采用经典的 SIMPLE 格式求解，离散后的代数方程组具有系数矩阵三对角特征，可用迭代法求解。

第五章，建立了丁坝附近水流流动模拟的三维紊流模型。用

第二章中试验获取的三维流场数据，进行了数值模型的详细率定和验证计算，应用模型模拟分析了丁坝附近的流场特性。并从三维平均流速、紊动能量、床底剪切应力、水面压力等不同水动力特征方面，对丁坝近体水流流动结构及其发生机制进行了深入分析，同时还研究了水深、丁坝长度、群丁坝之间的间距等参数对水流结构的影响关系。

第六章，建立了丁坝近体河床冲淤变形模拟分析的泥沙模型。将 σ 坐标变换技术引入到三维紊流模型中，使模型能模拟动床的冲淤以及自由水面的波动变化，对河床冲淤的泥沙模型用试验数据进行了率定和验证计算。将三维紊流模型与河床冲淤的泥沙模型耦合，模拟分析了动态条件下丁坝附近的冲淤变化过程，获得了丁坝附近的计算河床等高线。

第七章，概述丁坝水流的一般流动特征以及丁坝设计时有关参数与水流特征的关系，重点分析了丁坝长度、群丁坝之间的间距、淹没深度等参数与水流特性之间的关系，同时也简单介绍了近年来丁坝作为一种河流整治的生态工程措施，用于改善鱼类栖息地，提供多样化水流条件的作用。从技术支持丁坝设计和管理的角度，还介绍了一些用于估算丁坝坝头冲深的经验和半经验公式，并将这些公式的计算结果与第六章建立的冲淤模型计算结果进行了比较。

第八章，全书内容总结以及对进一步研究的建议。

2 丁坝水流流动的试验研究

2.1 概述

顺直河道中定床的丁坝绕流运动是一种理想的状态。虽然在实际河流中不存在这样的理想流动状态，但室内试验时仍采用这样简化的方式，以避免河流复杂形态对测量的影响。试验研究的目的，是为了观测丁坝绕流流态，直观了解绕流流场结构，同时测量近区绕流流场，为建立数学模型提供基本资料。

过去几十年间，研究者陆续开展了关于丁坝绕流运动试验研究。Akikusa 等（1960）采用 Pitot 管测量了丁坝断面处的水流流速和流向，其试验水槽宽度 1.5 m，丁坝长度 0.5 m。Muneta 和 Shimizu（1994）用 Laser-Doppler 流速仪测量了丁坝水槽流动的纵向及横向流速。Tominaga 等（1994）、Fujiwara 等（1995）、Tominaga 和 Shiba（1996）分别采用电子流速仪测量了丁坝近区的三维流速分量和紊动强度，并研究了丁坝不同的布置间距对流场的影响。

通过试验研究，初步揭示了丁坝近体的水流流动形态。根据相应的流动条件，丁坝流可以分为淹没流和非淹没流两种类型。淹没流即水深相对较大，丁坝高度小于水深，丁坝被淹没在水下；非淹没流即水深相对较小，丁坝高度大于水深，丁坝露在水面之上。对于不同的水流流动类型，丁坝的水流流动结构各不相同，尤其是沿水深方向。图 2-1 示意性地表示了丁坝淹没流的基本流动模式。本书重点讨论丁坝水流淹没流动这一类型。

在本章的试验研究中，应用了可视化技术定性观测并定量记录淹没丁坝的近区水流流动情况。同时将丁坝布设为不同的间距，以观测间距变化对流动结构的影响。

2.2 试验装置

试验用水槽长 10 m，宽 0.6 m，高 0.3 m，水槽纵向坡度为

1 / 750。图 2-2 为试验水槽装置示意。

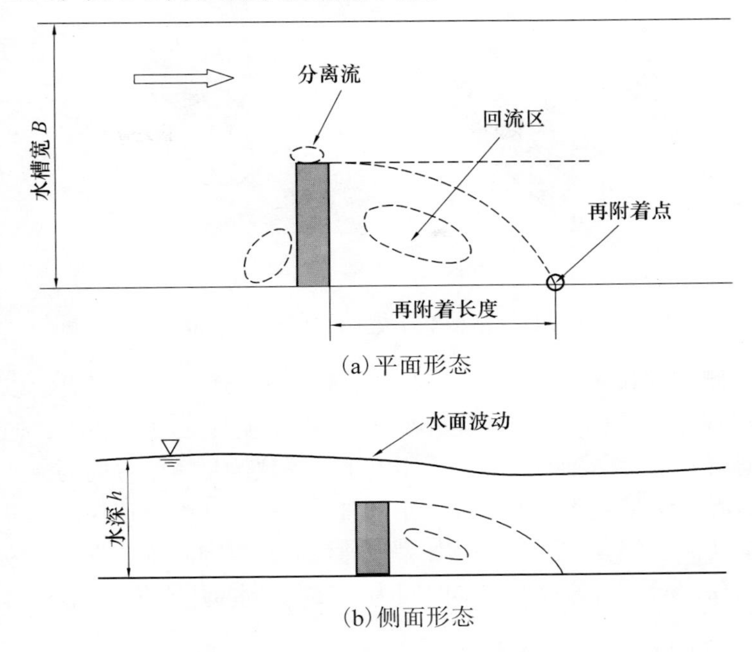

图 2-1　丁坝淹没流的基本流动模式

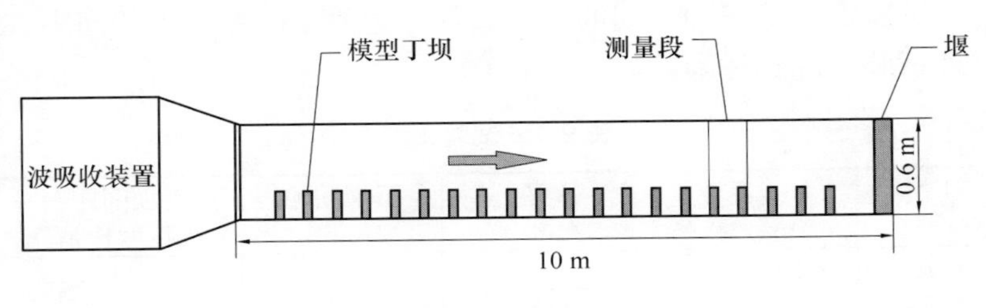

图 2-2　试验水槽

模型丁坝安装在水槽的右侧（沿流动方向）。丁坝尺寸为 3 cm×10 cm×5 cm，此处定义丁坝间距为两个相邻丁坝迎流面之间的距离，如图 2-3 所示，图中坐标系统也是后面测量数据分析时所采用的坐标系统。试验时丁坝布设的数量需根据试验的具体情况选取，使水流通过足够数量的丁坝之后，在测量段的绕流呈现为稳定状态。

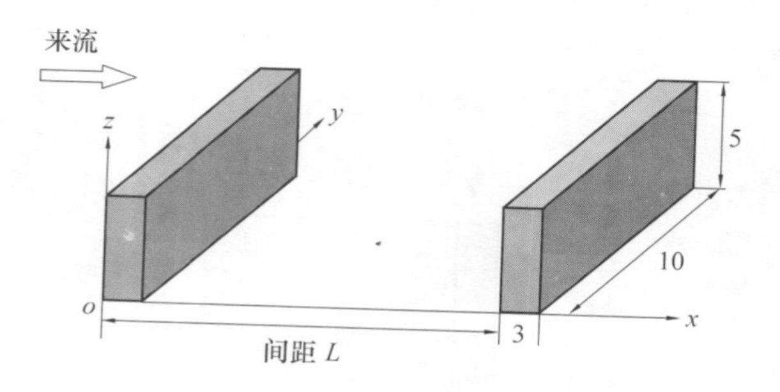

图 2-3　模型丁坝及其间距(单位：cm)

测量区位于水槽的下游段，该区水槽由透明材料制成，以保证可视化拍照的需要。该段位于丁坝群绕流后充分发展段，但还没有受到下游尾流的影响。采用电子流速仪测量三个方向的流速分量，流速仪探头直径为 4 mm，长度 18 mm。用 I 型流速仪测量纵向及横向流速分量(u，v)，用 L 型流速仪测量纵向及垂向方向的流速分量(u，w)。流速仪的取样时间为 0.05 s，同时用水位计测量水位。

2.3　试验条件

试验安排了三种不同的工况条件，主要是改变丁坝的间距 L。三种试验工况具体参数如表 2-1 所示。

表 2-1　试验工况

工况	水槽流量(m^3/s)	水深(cm)	丁坝间距(cm)	丁坝间距与长度比值
工况-1	0.021 3	7.6	10	1
工况-2	0.021 3	8.2	20	2
工况-3	0.021 3	8.0	40	4

在水平面上，测量流速分量的网格点布置如图 2-4 所示，考虑到流速仪探头的直径为 4 mm，将两个测量点之间的间距取为 1 cm。沿深度方向，从 1 cm 到 5 cm，以Δz =1 cm 的垂向间距，布设 5 层相同的水平网格点。在 z =6 cm 的平面上，丁坝已经被水淹没，则在丁坝的顶部，补充 1 cm 间隔的测量点。

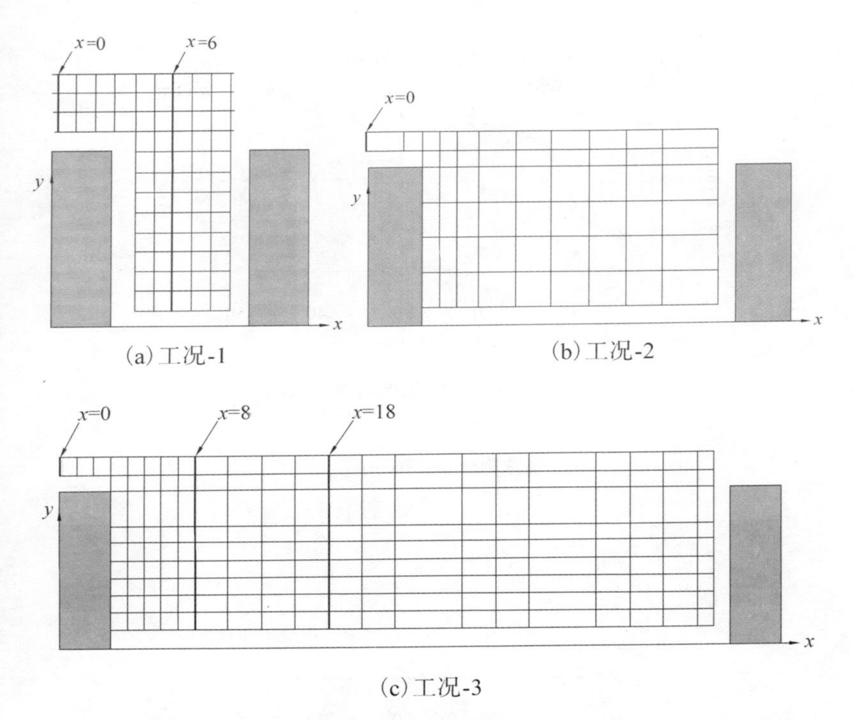

图 2-4　测量网格点的平面布置示意（单位：cm）

除测量流速分量外，还采用颜料示踪及油膜可视化技术，记录并分析了丁坝近体的水流流动结构。

2.4　水流流动结构

2.4.1　水流平均流速分布

2.4.1.1　水流纵向流速剖面

三种试验工况下，水流流速 u 沿横向 y 的剖面如图 2-5 所示，图中 x、y、z 的位置如图 2-4 中坐标所示。

试验结果表明，由于丁坝的干扰，近坝水流沿横断面方向，纵向流速分布发生变化。在丁坝遮挡的区域（y=0 ~ 10 cm），纵向流速急剧减小，使得在丁坝的尖端部位（从 y=10 ~ 20 cm）成为高流速梯度区域。在水槽中间部位（y = 20 ~ 40 cm），流速基本保持不变，

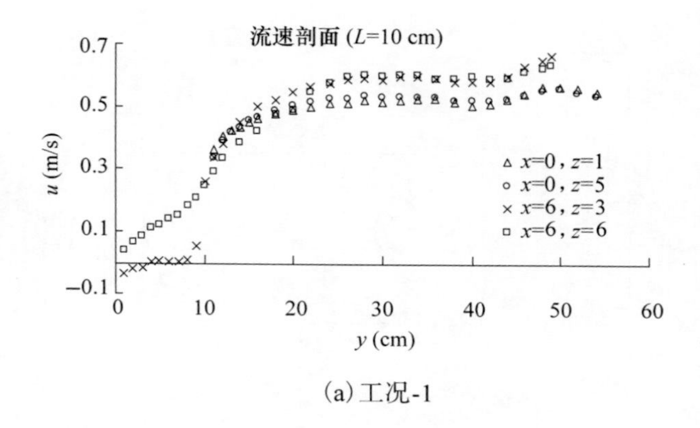

(a) 工况-1

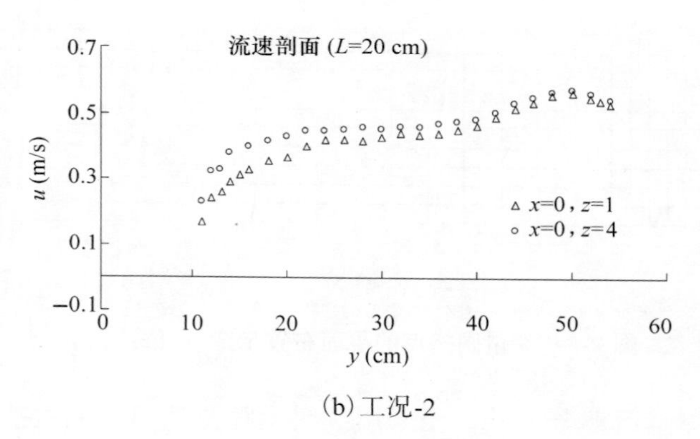

(b) 工况-2

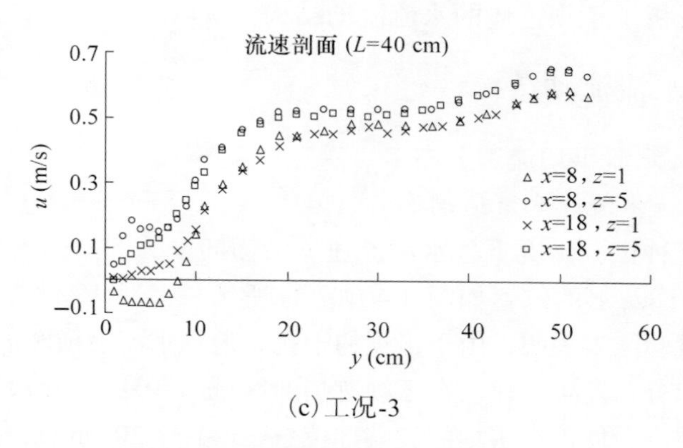

(c) 工况-3

图 2-5　纵向流速（u）剖面

流速剖面形状平缓。在接近水槽的对岸，流速值又有所抬升。这一现象说明，在本试验条件下，丁坝对水流的扰动长度较大，可能已到对岸区域。在丁坝下游侧，测量到明显的反向流，表明该区域内环流的存在。

2.4.1.2　流速矢量

整合网格点上的测量数据，得到水平面及垂直面上的流速矢量图（*x-y* 平面的 *u-v* 矢量图，*x-z* 垂直面上的 *u-w* 矢量图），通过矢量图，分析丁坝附近的分离流和旋转流流态。水平面（*H*）和垂直面（*V*）的位置如图 2-6 所示。

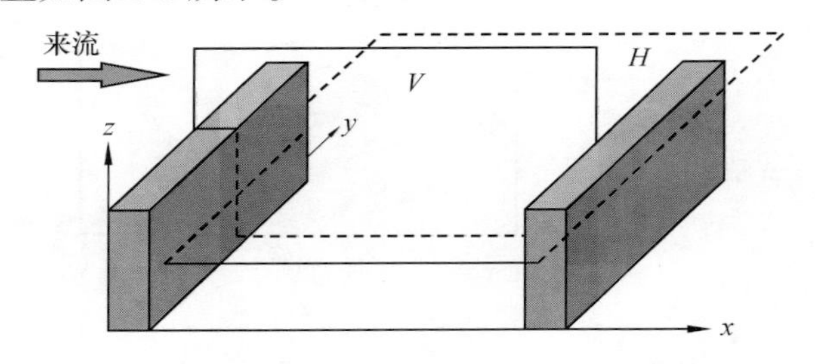

图 2-6　流速矢量的水平面（*H*）和垂直面（*V*）的位置示意

图 2-7（a）、图 2-7（b）所示为工况-1 在水平面 $z=1$ cm 和 $z=3$ cm 的 *u-v* 流速矢量图。由图可见，在两个丁坝之间的区域，水流流速减缓，出现回流；在丁坝外侧的主流区，水流流速增加，形成在主流和丁坝之间的交界区域的流速剪切层。在不同的水深高度，从 $z=1$ cm

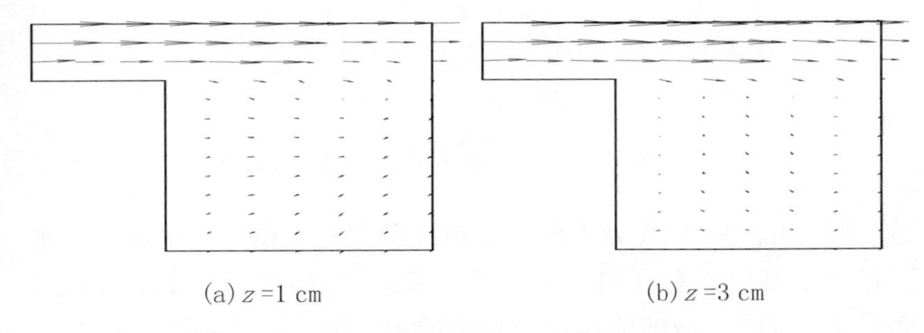

(a) $z=1$ cm　　(b) $z=3$ cm

图 2-7　平面流速矢量 *u-v* 分布图（工况-1）

到 $z = 3$ cm，平面流速矢量的变化并不十分明显。在坝头点，分离流也不十分明显。在 z=3 cm 平面上可以观测到两个丁坝之间有一个较弱的旋转流。

垂直面上，工况-1 u-w 流速矢量（y=1 cm、y=5 cm 和 y=9 cm）如图 2-8 所示。图中所记录的旋转流形态已经比较明显，在靠近丁坝的垂直面上(y =1 cm)，丁坝间水流流动为完全旋转流形式，流动分离之后的再附着点不在床底，而在下游丁坝的迎流面上。在 $y = 5$ cm 垂直面上，旋转流的区域有所减小，旋转流的中心点向上游侧移动。在 $y = 9$ cm 的垂直面上，旋转流流态基本消失，坝头的分离流也比较弱。

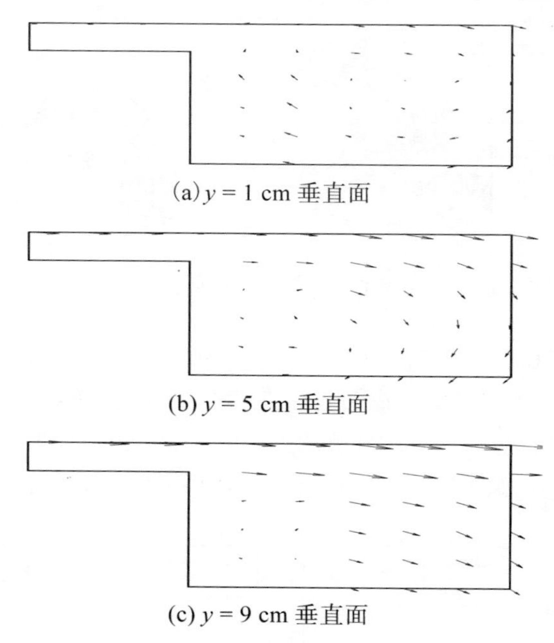

(a) $y = 1$ cm 垂直面

(b) $y = 5$ cm 垂直面

(c) $y = 9$ cm 垂直面

图 2-8　垂直面上的 u-w 流速矢量图（工况-1）

图 2-9、图 2-10 为工况-2 的流速矢量分布图。在平面图和垂直面图上都可以看到明显的分离流流态。和工况-1 比较，工况-2 条件下，坝间区域的流速量级有所增加，表明丁坝间距增加之后，群丁坝对水流流动的阻碍作用相对减弱。单一丁坝后的旋转流也

发育得更加充分。沿横断面方向，随着离丁坝距离的增加（y 值增大），旋转流区域也逐渐减小。

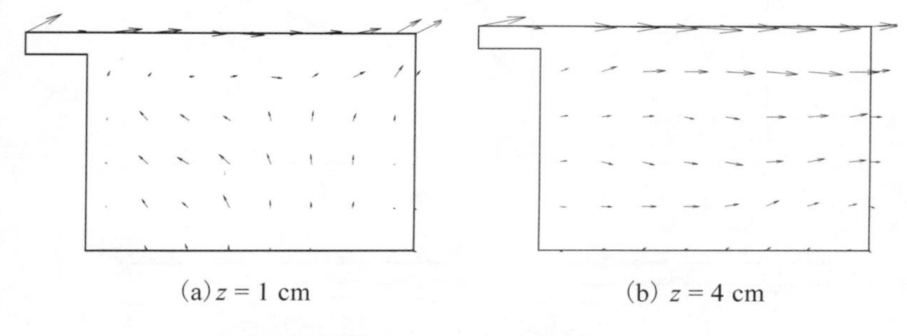

(a) $z = 1$ cm　　(b) $z = 4$ cm

图 2-9　水平面上的 u-v 流速矢量图（工况-2）

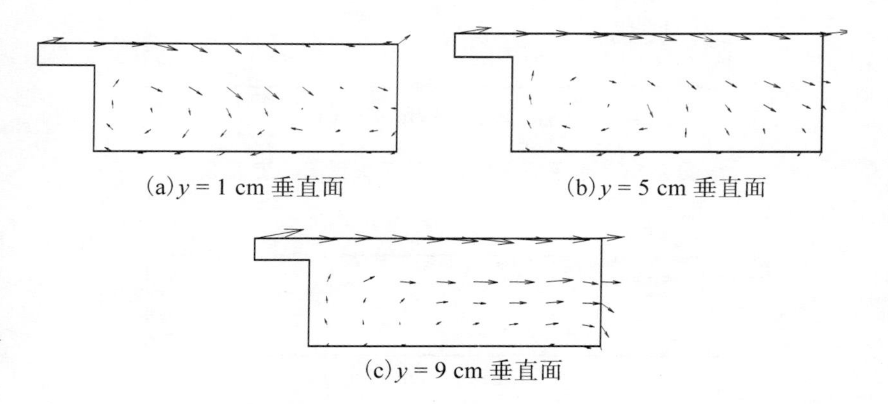

(a) $y = 1$ cm 垂直面　　(b) $y = 5$ cm 垂直面

(c) $y = 9$ cm 垂直面

图 2-10　垂直面上的 u-w 流速矢量图（工况-2）

工况-3 的流速矢量分别如图 2-11 和图 2-12 所示。在此试验条件下，垂直面上旋转流的流态与工况-3 基本相似。但在水平面上，下游丁坝的迎流面前端，又生成了一小漩涡。在靠近床面的水平面，如图 2-11（a）所示，主流是沿横断面方向，在丁坝前端与纵向流融汇后，流向下游方向。这一流态在前两个工况的试验中都没有观测到。同时，在丁坝的顶端（水深方向）和前端（沿横断面方向），分离流都变得更加明显。再附着点在床面上，并随 y 方向距离的增加而向上游侧移动。

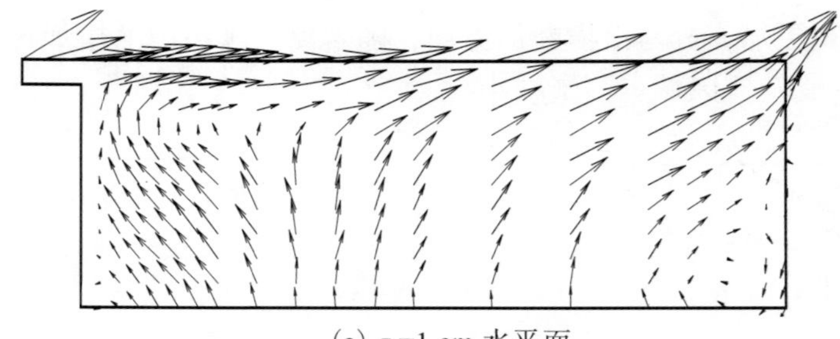

(a) z =1 cm 水平面

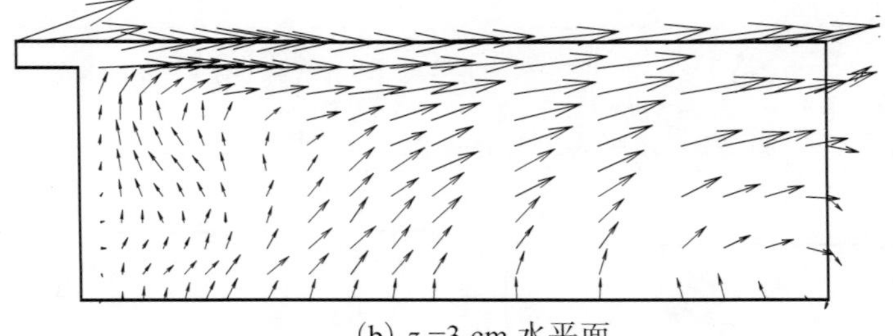

(b) z =3 cm 水平面

图 2-11　水平面上的 u-v 流速矢量图（工况-3）

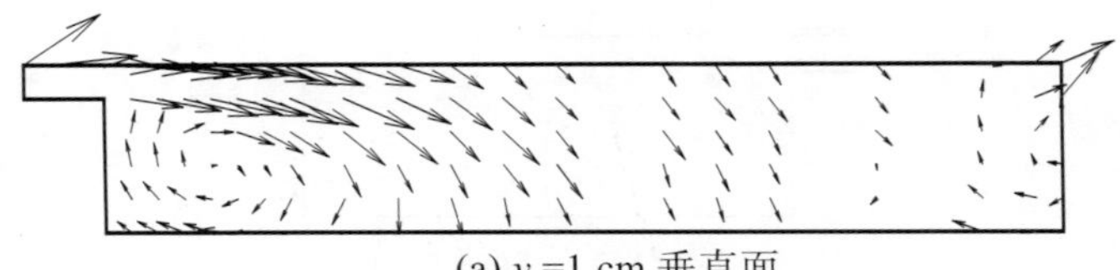

(a) y =1 cm 垂直面

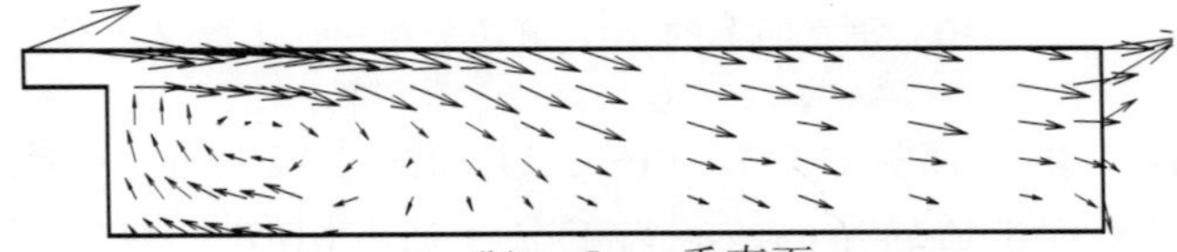

(b) y=5 cm 垂直面

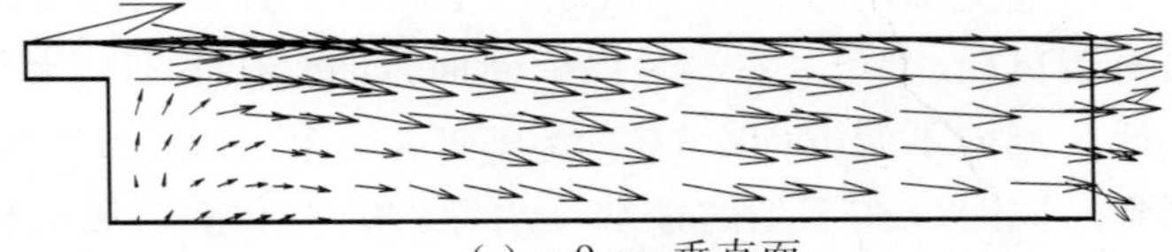

(c) y=9 cm 垂直面

图 2-12　垂直面上的 u-w 流速矢量图（工况-3）

进一步整合试验数据，绘制三维流场，以分析丁坝附近的水流三维流动结构。图 2-13 所示为工况-1 的试验结果。由于丁坝间距较小，两丁坝间水流全部为旋转流流态。下游侧丁坝水流的主要流向为垂直方向，在靠近床底时由于河床的阻挡而转向上游方向。和丁坝外主槽的水流流速相比，丁坝间的流速量级明显减小。

丁坝间距增加后，坝后的旋转流区域也有所加大，图 2-14 为工况-2 条件下的三维流场图。两种工况的基本流态相似，所不同的是，当丁坝间距增加之后，两个丁坝之间的区域与丁坝外主流之间的接触面增加，主流与丁坝间旋转流的交互作用也随之增强。当进一步增大丁坝的间距时，从工况-3 的三维流态图(如图 2-15 所示)中可以看到，除了丁坝后的旋转流之外，在下游丁坝的迎流面上又生成了另一小漩涡。从工况-2 和工况-3 的三维流场中，都可以观测到比较强的分离流流态。

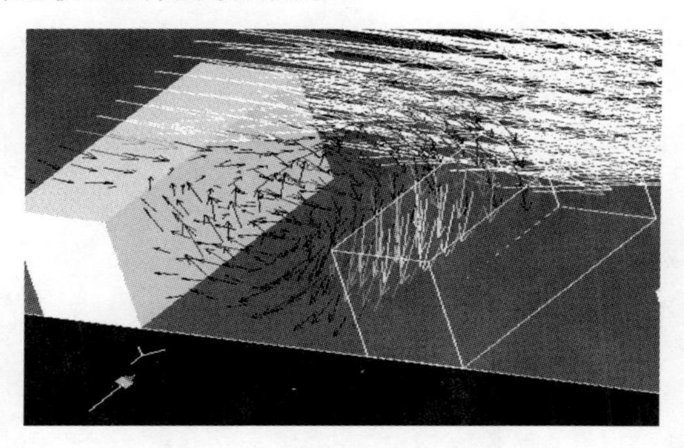

图 2-13　丁坝三维流态（工况-1）

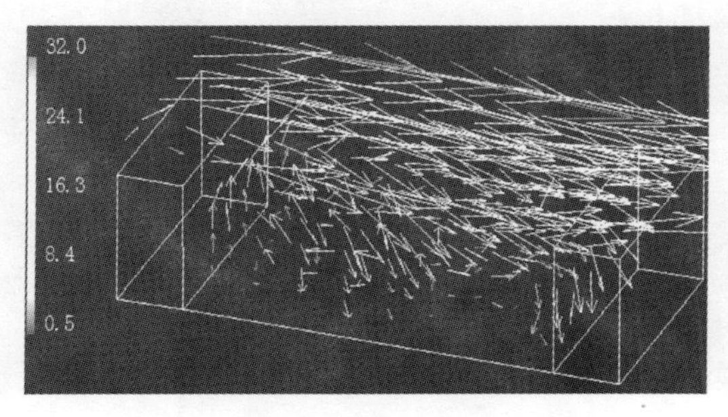

图 2-14　丁坝三维流态（工况-2）

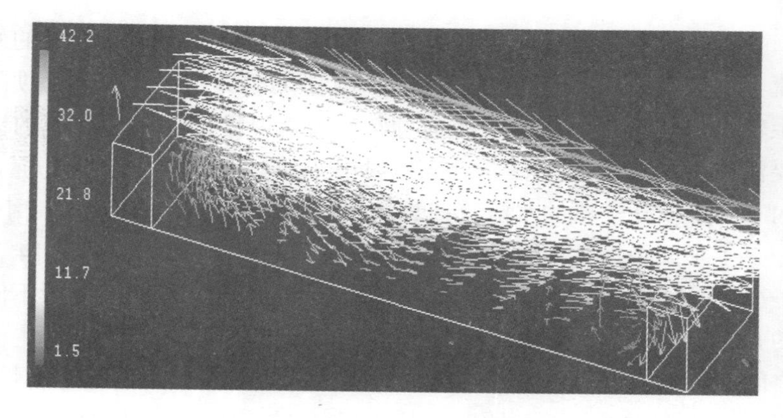

图 2-15 丁坝三维流态（工况-3）

2.4.2 瞬时流态

通过颜料示踪，可视化分析丁坝近区的瞬时流态。工况-2 的示踪照片如图 2-16 所示，图 2-16(a)中颜料的投放位置在丁坝顶部，图 2-16(b)中颜料投放于丁坝下游侧，图 2-16(c)中颜料投放于丁坝前端部。通过这些瞬时照片，可以定性地反映位于丁坝顶

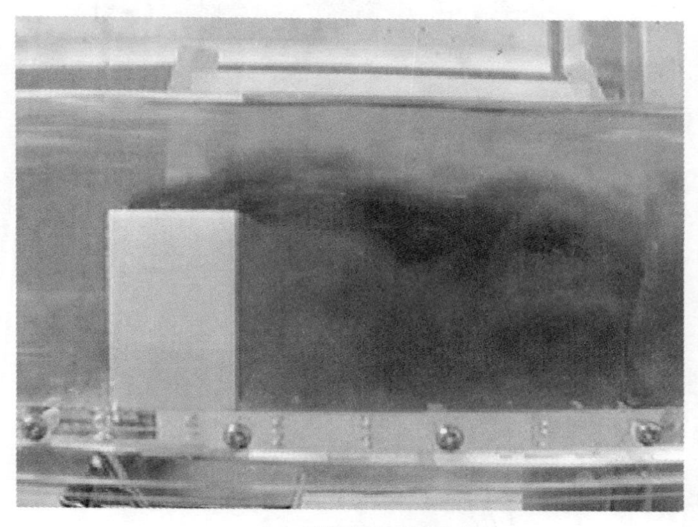

(a)丁坝顶部投放颜料

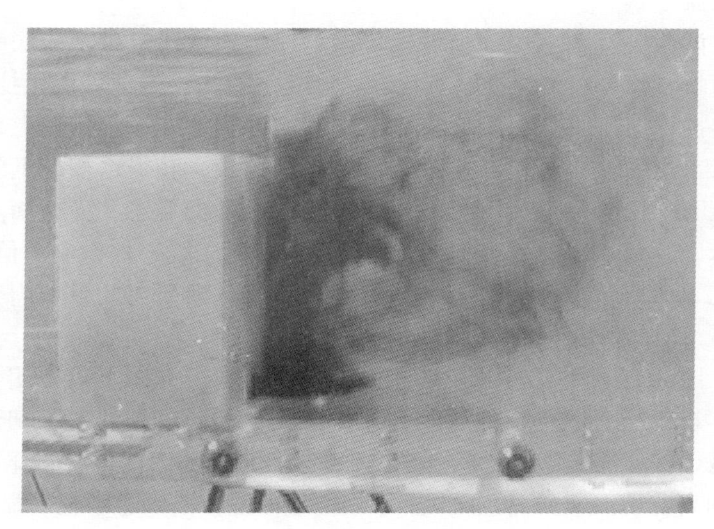

(b)丁坝下游侧投放颜料

(c)丁坝前端部投放颜料

图 2-16　颜料示踪的瞬时流态

部的分离流，位于丁坝之间的旋转流，以及位于前端交界面上的水流流态。

试验中，还应用油膜可视化摄影技术，直接记录了床底平面上的瞬时流态。油膜摄影是新近发展起来的一种流动可视化技术。具体操作时，将按一定原料比例配制的油料涂抹在水槽壁上，待自然干燥后放水试验，通过数字照相机照相，获得水槽壁上的瞬时流态。由于一般的测量技术无法测量壁面的流态，而壁面流态与床底的剪切应力直接相关，可以为分析河床变形提供应力信息。因此，研究壁面上的流态，是近年来丁坝试验研究的重要内容之一。

图 2-17 所示为工况-1 丁坝床底油膜图像。从图上可以明显看到，在丁坝之间形成的 S 形漩涡。图中的白色部分为高剪切流速区域，对应高剪切应力区。图 2-18 为工况-2 油膜图像，同样可以看到高剪切流速的白色区域，丁坝前端的强分离流也十分明显。工况-3 的油膜图像如 2-19 所示。除了坝后的旋转流之外（与工况-2 相似），还可以观察到在下游侧丁坝的迎流面形成的又一小漩涡。图 2-20 为图 2-19 的局部放大图，可以更加清晰地观察到丁坝附近的漩涡区。

图 2-17　丁坝床底油膜图像（工况-1）

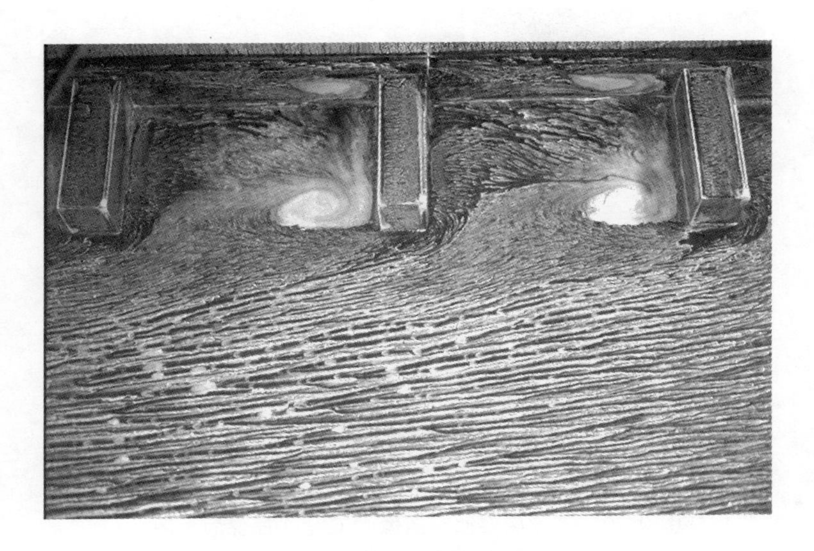

图 2-18　丁坝床底油膜图像（工况-2）

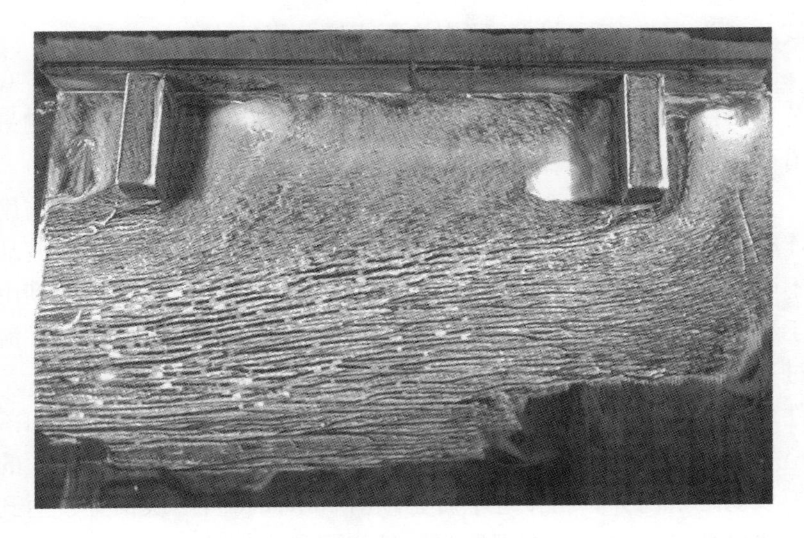

图 2-19　丁坝床底油膜图像（工况-3）

图 2-20　丁坝床底油膜图像（工况-3 局部放大图）

2.4.3　水面波动

设置潜流丁坝后，丁坝附近水面受到干扰影响，将产生水面波动。为此，应通过试验测定水面高度，了解水面波动情况。

丁坝附近沿纵向水面高度的变化如图 2-21 所示，其中 (a) ~ (c) 分别对应工况-1 ~ 工况-3，丁坝在图中的位置为 x=0 ~ 3 cm，测量沿两条纵向线 y = 2 cm 和 y =10 cm 上对应的水面高度。

工况-1 条件下，由于丁坝间距太小，丁坝对水流的顶托作用连续存在，使丁坝群位置上方的水面线基本保持水平，水面波动不明显。当丁坝间距增加时，(如工况-2 条件)，就可以观察到由于丁坝顶托产生的水面波动，当水流流经丁坝时，水面壅高，流过丁坝后回落至平均水位。进一步增加丁坝的间距，(如工况-3 条件)，可以观测到水流经丁坝顶部时的明显壅高，流过丁坝后回落至平均水位，与工况-2 相似。但与工况-2 不同的是，在工况-3 的丁坝间距条件下，当接近下游丁坝时，水面将再一次抬升，达到水位最高点，之后在丁坝群间重复相同的水面波动现象。不同工况的试验表明，丁坝间距对水面波动有影响。当丁坝间距较小时，

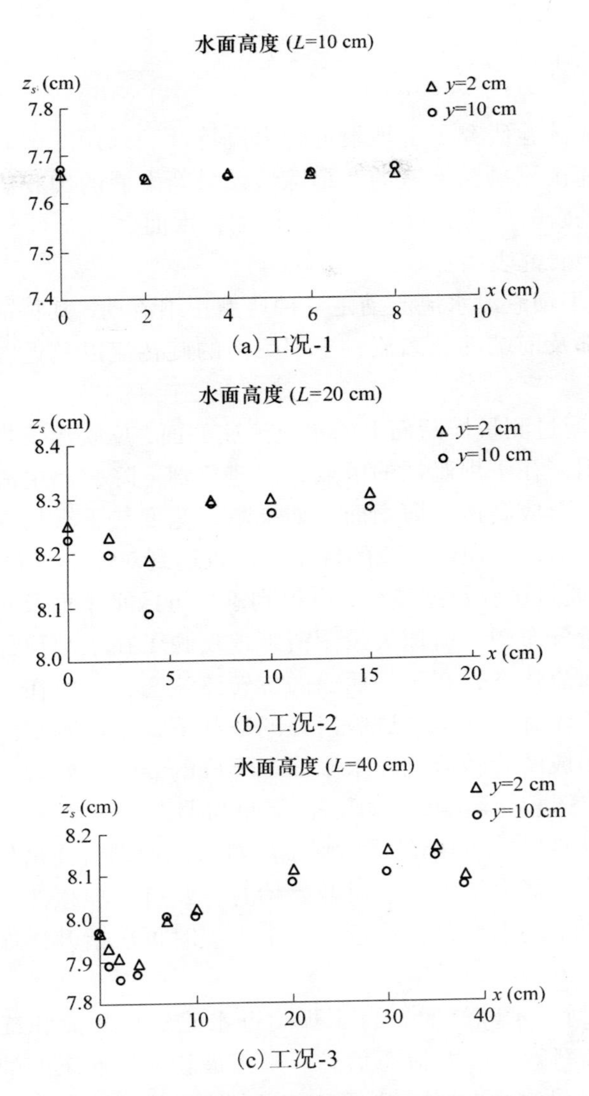

(a) 工况-1

(b) 工况-2

(c) 工况-3

图 2-21　不同丁坝间距时丁坝附近的沿程水面高度

水位被连续抬升，水面仍基本保持为平面；当丁坝间距较大时，水面将产生周期性波动，丁坝顶部水位抬升，随后回落，在接近下游丁坝时再一次抬升，如此周期变化。

2.5 小结

本章试验研究了丁坝附近的水流特性。采用的试验方法包括电子流速仪测量三维流场、示踪法及最新发展的油膜法可视化丁坝近区的瞬时流态，以及用水位计测量水面。

试验研究表明：

(1) 丁坝淹没水流流动是一种典型三维流动，其特征流态包括丁坝顶部及前端的分离流、丁坝后面的旋转流以及近区的水位波动。

(2) 通过测量横断面上的水流流速剖面，反映出丁坝对水流的扰动作用。在丁坝遮挡的区域，流速急剧下降，而主流区流速增加，从而形成高速度剪切面。如果断面宽度与丁坝长度之比不是足够大的话，丁坝对水流的扰动还可以达到对岸。

(3) 通过试验数据整合，可得到丁坝近区水平面及垂直面上的流速矢量分布图。流速矢量图清晰地反映了在丁坝顶部及丁坝前端的分离流流态，在丁坝后面的旋转流流态，以及在丁坝迎流面的偏转流流态。在本文试验研究的条件下，丁坝对水流扰动在垂直面上形成的旋转流比在水平面上形成的要强，同时这两个面上的旋转流还相互影响，使坝后漩涡呈扭曲态。

(4) 如果丁坝间距较大，则丁坝对水流扰动将使水位产生周期性波动。水面在接近丁坝时开始抬升，跃过丁坝顶部后下降，随后恢复至平均水位；在接近下一个丁坝时再次抬升，如此周期性地变化。

(5) 通过示踪试验，将丁坝附近水流的分离流和旋转流可视化，从而获得了瞬时流态信息。采用最新发展起来的油膜摄影技术，成功记录了丁坝附近河床底部水流的旋转流态及高速度剪切层，这些信息对进一步分析床底剪切应力、了解丁坝附近河床的冲淤变化具有重要的参考价值。

(6) 丁坝间距对丁坝水流流态及流速分布有直接的影响。当丁坝间距较小时，主流与丁坝遮挡区域的交界面也小，相互之间的紊动及剪切交换弱，丁坝后的水流流速很小，水位波动也相对不明显。当丁坝间距较大时，主流与丁坝遮挡区域的交换增强，丁坝后形成一个发育良好的漩涡，同时水流产生周期性的波动。

3 紊流及其基本方程

3.1 概述

本章简述紊流基本方程。与平均流方程一样，紊流方程所表述的是流体流动时的物质、动量及能量守恒。为表述简化起见，方程采用在笛卡儿坐标系中的向量表示方法，所讨论的流体为不可压缩的牛顿流体。

3.2 基本方程及紊流模型

3.2.1 平均变量的控制方程

对不可压缩的稳态流动，紊流平均变量的连续方程为：

$$\frac{\partial U_i}{\partial x_i} = 0 \tag{3-1}$$

动量方程为：

$$U_j \frac{\partial U_i}{\partial x_j} = g_i - \frac{1}{\rho}\frac{\partial P}{\partial x_i} + \frac{\partial}{\partial x_j}\left(\nu \frac{\partial U_i}{\partial x_j} - \overline{u_i u_j}\right) \tag{3-2}$$

式中：U_i 为平均流速的 i 分量；u_i 为瞬时流速的 i 分量；P 为压力；g_i 为重力加速度的 i 分量；ρ为流体密度；ν为动力黏性系数。

要求解式(3-1)和式(3-2)，必须先求得与紊流特性有关的$\overline{u_i u_j}$一项。紊流模型的目的，就是要通过适当的方法，求解紊动变量$\overline{u_i u_j}$，从而求解平均流方程。

3.2.2 紊流特性

在介绍紊流模型之前，首先概要介绍一下紊流的基本特征。了解这些基本特征对于建立紊流模型是十分有用的。

紊流是一种高度不稳定的漩涡流，其漩涡尺度及波动频谱很宽。大漩涡对应于低频波动，取决于流动的边界条件，漩涡尺度与流动区域相当。小漩涡对应于高频波动，取决于黏性力大小。在紊流流动中，物质和能量的传输主要依靠大尺度的漩涡，因此在紊流模型中，关注的是如何正确模拟大尺度漩涡的运动。

大尺度漩涡的运动与平均流动相互影响密切，大漩涡从平均流动中获取紊动能量，然后传递给小漩涡，直到黏性力开始起作用，最后通过黏性耗散使能量消失。同时大漩涡又将大尺度的紊流运动补充到平均流动中，维持着能量的生产和耗散循环。

在实际流动中，紊流主要取决于边界条件的状况。由于平均流动常常有一个主导流动方向，因此紊流也常常是各向异性的，即紊流的紊动长度与流动的方向有关。在能量的耗散过程中，能量从大涡向越来越小的小涡传递着，紊流的方向敏感性逐渐消失。如果流动的雷诺数足够高，大涡和小涡向频谱上分布得足够远，则大涡的这种对方向的敏感性可以在能量传递过程中完全消失，使最后小涡的运动变为各项同性，这种现象称为局部各项同性，局部各项同性的概念对于紊流模型而言十分重要。

紊流模型实际上是通过某种算法，使包含有紊流脉动项的平均流方程封闭。对于许多工程性的模型实际应用，没有必要详细模拟紊动流的细节，重点关注的是紊流对平均流的影响。由于在平均流的动量方程中，紊流对平均流的影响是通过雷诺应力的方式来表达的，因此紊流模型的核心就是如何模拟雷诺应力。

最早的雷诺应力模型是 Boussinesq 于 1877 年提出的涡黏系数概念模型，它假定雷诺应力与平均流速的梯度成正比。该假定用方程可表示为：

$$-\overline{u_i u_j} = \nu_t \left(\frac{\partial U_i}{\partial x_j} + \frac{\partial U_j}{\partial x_i}\right) - \frac{2}{3} k \delta_{ij} \tag{3-3}$$

式中：ν_t 为涡黏系数，它完全取决于具体问题的紊流状态，与分子黏性系数 ν 的特性完全不同。

通过涡黏系数定义，在涡黏系数概念模型中，对雷诺应力的求解现在变成如何确定涡黏系数。

3.2.3 紊流模型

表 3-1 列出了通常使用的紊流模型。

表 3-1 紊流模型

经典模型	基于时间平均的雷诺应力表示 (1)零方程模型——混合长度模型 (2)两方程模型——k-ε 模拟 (3)雷诺应力方程模型 (4)代数应力模型
大涡模拟	基于空间滤波方程的大涡模型

3.2.3.1 零方程模型

确定涡黏系数的最简单模型就是假定涡黏系数 v_t 为常数，即常涡黏系数模型。这类模型常用于解决水力学方面的某些问题，如大水体流动，其紊流项在动量方程中不起主要作用。模型中，涡黏系数的取值一般通过试验确定，或用试算法使计算与实测结果吻合。对于不同的问题，涡黏系数的取值也不同。不过，对于那些紊流项在方程中比较重要、紊流影响到平均流动特性的问题，采用常涡黏系数模型就显得有些粗糙了。

第一个描述涡黏系数分布的模型是由 Prandtl 在 1925 年提出的，即著名的混合长度理论。根据该理论，涡黏系数的长度可以表示为:

$$v_t = l_m^2 \left| \frac{\partial U}{\partial y} \right| \tag{3-4}$$

其中，l_m 为混合长度。

对于一些简单的流动，混合长度可以用经验公式来表示。如果流动中紊流的发展与平均流动成比例，紊流的对流及扩散特征可以忽略的话(如在射流、混合层、边界层等流动中)，混合长度模型比较有效。但在复杂流动中(如有分离流或旋转流流态)，用混合长度模型就不能正确模拟其流动。

3.2.3.2 两方程模型

最有代表性的两方程模型是标准 k-ε模型(Launder 和 Spalding, 1974)。标准 k-ε 模型利用了式(3-3)的涡黏系数概念，通过一定的推导，得到涡黏系数的 Kolmogorv-Prandtl 表达式为：

$$\nu_t = C_\mu \frac{k^2}{\varepsilon} \tag{3-5}$$

式中：C_μ 为无量纲常数；k 为紊动能量；ε为耗散率。

k 和ε 的控制方程表示为：

$$\begin{cases} U_j \dfrac{\partial k}{\partial x_j} = \dfrac{\partial}{\partial x_j}\left[\left(\nu + \dfrac{\nu_t}{\sigma_k}\right)\dfrac{\partial k}{\partial x_j}\right] + Prod - \varepsilon \\ U_j \dfrac{\partial \varepsilon}{\partial x_j} = \dfrac{\partial}{\partial x_j}\left[\left(\nu + \dfrac{\nu_t}{\sigma_\varepsilon}\right)\dfrac{\partial \varepsilon}{\partial x_j}\right] + \dfrac{\varepsilon}{k}(C_{\varepsilon 1} Prod - C_{\varepsilon 2}\varepsilon) \\ Prod = -\overline{u_i u_j}\dfrac{\partial U_i}{\partial x_j} \end{cases} \tag{3-6}$$

方程中包含有五个可调整参数 C_μ、σ_k、σ_ε、$C_{\varepsilon 1}$、$C_{\varepsilon 2}$。在标准 k-ε 模型中，这些参数取为常数值，其值通过大量的物理模型试验确定，证明可以适用于一定范围的紊流流动。Launder 和 Spalding (1974)推荐的系数取值列于表 3-2 中。

表 3-2 标准 k-ε 模型参数取值

C_μ	σ_k	σ_ε	$C_{\varepsilon 1}$	$C_{\varepsilon 2}$
0.09	1.00	1.30	1.44	1.92

标准 k-ε模型是目前为止得到最广泛应用和检验的紊流模型，特别是在二维紊流模拟中得到了许多成功的应用(Sajjad 和 Aldridge, 1993；Kimura 和 Hosoda, 1997)，最近，标准 k-ε模型也逐渐在三维紊流模拟中 (Sanjiv 等, 1996；Wu 等, 1997)得以应用。

标准 k-ε 模型是基于高雷诺数假定导出的，模型推导同时还假定，对所有的雷诺应力而言，涡黏性没有变化，亦即采用了各项同性涡黏系数的假定。这些假定在一定程度上限制了模型用于模拟各向异性的紊流运动，如有紊流驱动的二次流。对这样的流动，需要采用更精细的 k-ε 模型或其他紊流模型。

3.2.3.3 雷诺应力方程模型

雷诺应力方程模型(Reynolds Stress equation Models，RSM)是最复杂的经典紊流模型。模型通过直接引入雷诺应力的传输方程，封闭平均流动方程组，克服了标准 k-ε 模型的诸多缺陷。精确的雷诺应力方程可以反映雷诺应力各向异性对平均流的影响，从而可以更准确地预报雷诺应力。

雷诺应力方程模型最早源自 Launder 等(1975)，模型方程中包括了雷诺应力的对流、扩散、衰减过程以及压力修正和旋转。这些项通过数值离散后，组合成方程求解。对一些复杂的紊流流动，用雷诺应力方程模型可以得到更高精度的平均流和雷诺应力计算结果。

雷诺应力方程模型比较复杂，但对于雷诺应力输移作用较强的紊流流动，它是目前为止得到普遍认可的一种紊流模型。在一般的紊流计算中，由于其计算代价更高、需要的验证资料更多，一般不被采用。

3.2.3.4 代数应力方程模型

代数应力方程模型（Algebraic Stress equation Models，ASM）是雷诺应力方程模型的简化形式，它不像雷诺应力方程模型那样去求解复杂的雷诺应力方程，而是采用简化的方法，考虑各向异性雷诺应力对平均流的影响。

Rodi(1976)最早提出了采用代数关系式去近似表述雷诺应力传输方程，计算程序及成功的计算实例有 Naot 和 Rodi(1982)，Demuren 和 Rodi(1984)。通过采用这种间接的方法反映紊流各向异性的影响，代数应力模型在一定程度上结合了各项同性黏性系数两方程模型的计算经济性和雷诺应力方程模型的精确性。但是代数应力方程模型还远不如 k-ε 模型那样使用广泛。

3.2.3.5 大涡模拟

大涡模拟（Large Eddy Simulations，LES）是紊流模型的一种，

在这种模拟方法中，同时模拟非恒定流动的平均变量和大涡变量，而对小涡变量，只模拟其对平均流动的影响。如 3.2.2 中所述，由于大涡是与平均流动相互影响的主要部分，并包含了大部分的能量，因此大涡模拟可以提高对复杂紊流平均流动的模拟精度。关于大涡模拟的更详细介绍参见文献[1]及用于跌坎流动的具体应用实例（Neto 和 Grand ，1991；Lesieur，1993）。大涡模拟需要更大容量和计算能力的计算机，计算费用较高，不太适用于研究一般的紊流流动。然而大涡模拟可以计算得到紊流变量值，而物理模型试验因为缺乏合适的试验设备而无法得到，因此大涡模拟可以用于指导一般紊流模型的建模研究。

3.3 线性及非线性 k-ε 模型

在 3.2 中介绍的所用紊流模型中，标准 k-ε 模型依然是最适合于一般目的紊流模拟的模型(Rodi，1980)。考虑到标准 k-ε 模型由于假定涡黏系数为常数所带来的一些缺陷，研究者对此进行了一系列的相关研究，非线性 k-ε 模型就是其中的成果之一。

在丁坝近体水流流动中，有非常明显的紊流分离流和旋转流流态。从丁坝水流的相关研究中(Celenligil 和 Mellor, 1985；Speziale 和 Ngo, 1988；Avva 等, 1990)，已经发现标准的 k-ε 模型预报的坝后旋转流再附着长度明显偏小，其原因是对坝后分离流区域的紊流水平预报过高。因此，一些研究者对改善标准 k-ε 模型的预报精度进行了深入研究，本节介绍取得的一些研究成果。

3.3.1 Zhu-Shih 修正的 k-ε 模型

Zhu 和 Shih(1994)提出了用于模拟跌坎流动的修正 k-ε 模型。该模型提出了所谓的“合理性准则”，规定紊流的法向应力应保持为非负，并用此准则分析 k-ε 方程。通过分析，得到 C_μ 的新的表达式，该表达式是紊流与平均流时间尺度比值的函数。

k-ε 模型方程(3-3)中，法向雷诺应力 $\overline{u_1u_1}$ 可以表示为：

$$\frac{\overline{u_1u_1}}{k}=\frac{2}{3}-C_\mu\eta \tag{3-7}$$

结合方程(3-5)，上式中η 可以表示为：

$$\eta = \frac{2U_{1,1}k}{\varepsilon}$$

在物理意义上，$\overline{u_1u_1}$ 减少表示平均应变率 $U_{1,1}$ 增加。但 $\overline{u_1u_1}$ 不可能减少为负值，因此“合理性准则”要求：

$$\begin{cases} \dfrac{\overline{u_1u_1}}{k} > 0 \quad (0 < \eta < \infty) \\ \dfrac{\overline{u_1u_1}}{k} \to 0 \quad (\dfrac{\overline{u_1u_1}}{k})_{,\eta} \to 0 \quad (\eta \to \infty) \end{cases} \tag{3-8}$$

为满足式(3-8)的条件，C_μ应满足：

$$C_\mu = \frac{2/3}{A+\eta} \tag{3-9}$$

式中：A 为一正值，在模型计算中可取 $A = 5.5$。

对 $\overline{u_2u_2}$ ，应用同样的分析，也可推出式(3-9)。对一般的三维流动，η可表示为：

$$\eta = \frac{Sk}{\varepsilon} \tag{3-10}$$

$$S = (2S_{ij}S_{ji})^{1/2} \quad S_{ij} = \frac{1}{2}(U_{i,j} + U_{j,i})$$

用式(3-9)计算 k-ε模型中的参数 C_μ ，而模型中的其他参数（见表 3-1）保持不变，就构成了 Zhu-Shih 修正的 k-ε 模型。修正后的模型保证了紊流能量始终为非负值，这也是保证紊流模型能够作出物理上合理预报的最低条件。通过与试验结果的对比验证表明，该模型能够改善对跌坎紊流流动的预报性能（Zhu 和 Shih, 1994）。

3.3.2 RNG 模型

RNG（Renormalization Group）模型应用了数学上的一种统计方法，该方法将小尺度紊流运动对平均流的影响从平均流方程中移走，而将其放到大尺度紊流运动中，对小尺度的紊流运动进行统计分析，并对小尺度漩涡的随机运动进行一系列的假定，对紊动能量频谱进行标准化分析，就可以得到 RNG 紊流模型(Yakhot 等, 1992；Nagano 和 Itazu, 1995)。在此，介绍一种简单形式的 RNG 模型（Speziale 和 Thangam，1992）。

模型的控制方程与标准 k-ε模型相同，即连续方程(3-1)，运动方程(3-2)，涡黏系数方程(3-3)、(3-5)以及紊动能量 k 和ε的方程(3-6)。应用 RNG 理论，导出方程系数 C_μ、σ_k、σ_ε、$C_{\varepsilon 2}$和 $C_{\varepsilon 1}$的新的表达式为：

$$\left.\begin{aligned} &C_\mu = 0.085 \quad C_{\varepsilon 2} = 1.68 \quad \sigma_k = \sigma_\varepsilon = 0.717\,9 \\ &C_{\varepsilon 1} = 1.42 - \frac{\eta(1-\eta/4.38)}{1+0.015\eta^3} \end{aligned}\right\} \tag{3-11}$$

式中：η为一中间变量，用式(3-10)计算其值。

$C_{\varepsilon 1}$ 的修正提高了 RNG 模型在预报分离流流动的预报精度(Speziale 和 Thangam, 1992)，计算时间略有增加，在实际应用中有其实用价值。

3.3.3 Launder-Kato 修正的 k-ε 模型

Launder 和 Kato(1993)提出了一种改进的 k-ε 模型，用于模拟有驻点的流动。如前所述，标准 k-ε模型的缺点之一是其定常涡黏系数的假定，从而导致对驻点附近紊动能量 k 的预报过高。为避免对紊动能量的过高预报，Launder-Kato 在模型修正时，将紊动能量 k 的生成项同时表示成应变率 S 和漩涡率Ω的函数。

标准 k-ε 模型中的 k 传输方程(3-6)可以表示成应变率的以下形式：

$$Prod = \nu_t S^2 \qquad S = \sqrt{\frac{1}{2}\left(\frac{\partial U_i}{\partial x_j} + \frac{\partial U_j}{\partial x_i}\right)^2}$$

Launder-Kato 修正了以上表达式，调整为 ：

$$Prod = \nu_t S\Omega \qquad \Omega = \sqrt{\frac{1}{2}\left(\frac{\partial U_i}{\partial x_j} - \frac{\partial U_j}{\partial x_i}\right)^2} \tag{3-12}$$

不过，在经过上述的调整之后，模型对雷诺应力的表示和 k 生成项的表示不一致。因此，这种模型只能是一种修正标准 k-ε 模型的折中办法。

3.3.4 非线性 k-ε 模型

以上讨论的所有修正 k-ε 模型都是线性模型，即雷诺应力与应变率之间的关系是采用线性关系表示的。由于这一限制，线性模型不能反映出各向异性紊流对平均流的影响，因此如果一种流动与各向异性紊流关系较大，则必须引入非线性模型，才能正确预报其流动特性(Speziale，1987；Shih，1997)。

假定雷诺应力与平均流速梯度有关，紊流尺度由其能量 k 和耗散率ε共同决定。即 $\overline{u_i u_j} = f(U_{i,j}, k, \varepsilon)$，则可导出雷诺应力的一个如下表达式(Shih 和 Lumley, 1993)：

$$
\begin{aligned}
\overline{u_i u_j} = & \frac{2}{3}k\delta_{ij} + 2a_2\frac{k^2}{\varepsilon}(U_{i,j} + U_{j,i} - \frac{2}{3}U_{i,i}\delta_{ij}) \\
& + 2a_4\frac{k^3}{\varepsilon^2}(U_{i,j}^2 + U_{j,i}^2 - \frac{2}{3}\Pi_1\,\delta_{ij}) \\
& + 2a_6\frac{k^3}{\varepsilon^2}(U_{i,k}U_{j,k} - \frac{1}{3}\Pi_2\,\delta_{ij}) + 2a_7\frac{k^3}{\varepsilon^2}(U_{k,i}U_{k,j} - \frac{1}{3}\Pi_2\,\delta_{ij}) \\
& + 2a_6\frac{k^4}{\varepsilon^3}(U_{i,k}U_{j,k}^2 + U_{i,k}^2U_{j,k} - \frac{1}{3}\Pi_3\,\delta_{ij}) \\
& + 2a_{10}\frac{k^3}{\varepsilon^2}(U_{k,i}U_{k,j}^2 + U_{k,i}^2U_{k,j} - \frac{2}{3}\Pi_3\,\delta_{ij}) \\
& + 2a_{12}\frac{k^5}{\varepsilon^4}(U_{i,k}^2U_{j,k}^2 - \frac{1}{3}\Pi_4\,\delta_{ij}) + 2a_{13}\frac{k^5}{\varepsilon^4}(U_{k,i}^2U_{k,j}^2 - \frac{1}{3}\Pi_4\,\delta_{ij}) \\
& + 2a_{14}\frac{k^5}{\varepsilon^4}(U_{i,k}U_{l,k}U_{l,j}^2 + U_{j,k}U_{l,k}U_{l,i}^2 - \frac{2}{3}\Pi_5\,\delta_{ij}) \\
& + 2a_{16}\frac{k^6}{\varepsilon^5}(U_{i,k}U_{l,k}^2U_{l,j}^2 + U_{j,k}U_{l,k}^2U_{l,i}^2 - \frac{2}{3}\Pi_6\,\delta_{ij}) \\
& + 2a_{18}\frac{k^7}{\varepsilon^6}(U_{i,k}U_{l,k}U_{l,m}^2U_{j,m}^2 + U_{j,k}U_{l,k}U_{l,m}^2U_{i,m}^2 - \frac{2}{3}\Pi_7\,\delta_{ij})
\end{aligned}
$$

式中：$\Pi_1 = U_{i,j}U_{k,i}, \Pi_2 = U_{i,k}U_{i,k}, \Pi_3 = U_{i,k}U_{i,k}^2, \Pi_4 = U_{i,k}^2U_{i,k}^2, \Pi_5 = U_{i,k}U_{l,k}U_{l,i}^2, \Pi_6 = U_{i,k}U_{l,k}^2U_{l,i}^2, \Pi_7 = U_{i,k}U_{l,k}U_{l,m}^2U_{i,m}^2$。

要确定以上方程中的所有系数将是非常困难的。对于实际的流动，Shih 等(1995)提出了一个二次应力关系式，该关系式在推导时应用了快速旋转理论(RDT)(Reynolds, 1987)以及可靠性准则(Lumley, 1978)。非线性雷诺应力关系式可以表示为：

$$\overline{u_i u_j} = \frac{2}{3}k\delta_{ij} - C_\mu \frac{k^2}{\varepsilon} 2S_{ij}^* + 2C_2 \frac{k^3}{\varepsilon^2}(-S_{ik}^*\Omega_{kj}^* + \Omega_{ik}^*S_{kj}^*) \tag{3-13}$$

C_μ 及 C_2 由下式确定：

$$C_\mu = \frac{1}{6.5 + A_s^* U_s^*(k/\varepsilon)} \quad C_2 = \frac{\sqrt{1-9C_\mu^2(S^*(k/\varepsilon))^2}}{1+6S^*\Omega^*(k^2/\varepsilon^2)} \tag{3-13a}$$

$$\left.\begin{aligned} &S^* = \sqrt{S_{ij}^*S_{ji}^*} \quad \Omega^* = \sqrt{\Omega_{ij}^*\Omega_{ji}^*}, \\ &U^* = \sqrt{S_{ij}^*S_{ji}^* + \Omega_{ij}^*\Omega_{ji}^*} \quad W^* = \frac{S_{ij}^*S_{jk}^*S_{ki}^*}{(S^*)^3} \end{aligned}\right\} \tag{3-13b}$$

以及

$$\left.\begin{aligned} &S_{ij}^* = S_{ij} - \frac{1}{3}S_{kk}\delta_{ij} \quad \Omega_{ij}^* = \Omega_{ij}, \\ &S_{ij} = \frac{1}{2}\left(\frac{\partial U_i}{\partial x_j} + \frac{\partial U_j}{\partial x_i}\right) \quad \Omega_{ij} = \frac{1}{2}\left(\frac{\partial U_i}{\partial x_j} - \frac{\partial U_j}{\partial x_i}\right) \\ &A_s^* = \sqrt{6}\cos\phi_1 \quad \phi_1 = \frac{1}{3}\arccos(\sqrt{6}W^*) \end{aligned}\right\} \tag{3-13c}$$

紊动黏性系数：

$$\upsilon_t = C_\mu \frac{k^2}{\varepsilon}$$

系数 $C_{\varepsilon 1}$、$C_{\varepsilon 2}$、σ_k 及 σ_ε 取其标准值：

$$C_{\varepsilon 1} = 1.44 \quad C_{\varepsilon 2} = 1.92 \quad \sigma_k = 1.0 \quad \sigma_\varepsilon = 1.3$$

对比计算表明：该模型对均匀旋转流和跌坎紊流的模拟结果都比标准 k-ε 的模拟结果有所改善(Shih 等, 1995)，同时模型并没有增加太多的计算时间，预示着其在工程方面有良好的应用前景。

3.4 边界条件

对一般的明渠流动，边界条件包括入流、出流、自由水面及边壁等几类边界条件。在入流边界，一般应指定所有变量的取值，可以通过试验确定，也可以通过半经验公式计算得到；在出流边界，只要出流边界的位置选取合适，一般可以给定零梯度变化条件；在自由水面，如果没有风应力作用，可以给定水面对称条件，所有标量(P, k, ε)的法向梯度为零，法向流速为零；为反映自由水面对紊流量的影响，有时也对紊流量的边界进行特殊处理(Celik 和 Rodi, 1984)。

对紊流模型而言，固体边壁条件要复杂一些，在此略加论述。固体边界的流速条件可以指定为无滑移条件，流速值取为零。要注意的是耗散率ε，它在边界处是有一定值的。如何给定其在边界处的值？如果是将边界直接给在边壁上，则必须对边壁处黏性底层机型积分。这样做的话有两个难点：一是黏性底层内变量的梯度很大，为得到正确的结果，须布设很密的网格；二是在黏性底层内的局部雷诺数 $Re = \nu_t / \nu$很小，k-ε 模型中高雷诺数的假定不再适用。

解决上述难点的方法之一，是利用“壁函数”理论。借助一定的经验公式，可以建立固壁边界上的变量与黏性底层外变量的关系，从而将固体边界移到黏性底层外的位置。这样处理固壁边界的方法称之为“壁函数”方法，U、k、ε的边界在靠近壁面的点（如 $y = y_c$）上给定。第一个计算点 y_c 应置于黏性底层之外，边壁条件与 y_c 点条件通过以下关系式建立联系(Rodi, 1980)：

$$\frac{U_c}{u_*} = \frac{1}{k}\ln(E_r \frac{y_c u_*}{\nu}) \quad k = \frac{u_*^2}{\sqrt{C_\mu}} \quad \varepsilon = \frac{u_*^3}{k y_c} \tag{3-14}$$

式中：ν为动力黏性系数；$k=0.42$，为 Von Karman 常数；u_*为边壁摩擦速度；E_r为边壁粗糙度系数，对水力光滑边壁可取 $E_r=9.0$，粗糙边壁可取 $E_r=30/(u_* k_s)$，k_s为当量粗糙高度；y_c范围一般在 $30<\frac{y_c u_*}{\nu}<500$ 之间。

3.5 小结

本章简要介绍了紊流流动的基本方程，以及有关紊流模型的一些研究进展。

紊流中包含有多种尺度的漩涡运动。大尺度漩涡的运动由流动区域决定，而小尺度的漩涡运动由分子黏性决定。紊流数值模拟的困难，就源自于其中的运动在空间和时间尺度上如此大的梯度变化。对紊流流动的描述，是通过时间平均来描述其平均流动特性的。而紊流在平均流动之上的波动，则要利用紊流模型来表述。

实质上，紊流模型即是对雷诺应力的模拟。到目前为止，已经有多种紊流模型可供实际应用选择。从最简单的混合长度模型，到比较复杂的 RSM 模型和 LES 模型。在所有的可供选择的紊流模型中，标准 k-ε 模型是得到最广泛检验和应用的一个模型。因此，在一般目的的紊流计算中，仍建议采用该模型。但是计算经验也同时表明，标准 k-ε 模型尚存在一些缺陷，它对分离流的模拟精度不够，预报的跌坎流动的再附着长度偏小。

为提高标准 k-ε 模型的预报精度，很多研究者做了大量工作，得到了一些修正的 k-ε 模型，包括线性的以及非线性的。本章重点介绍了几种修正的 k-ε模型，其中有 Zhu-Shih 的模型，Speziale-Thangam 的 RNG 模型和 Launder-Kato 的模型，并讨论了不同模型改善预报性能的主要方面。

对于具有显著各向异性流动特征的复杂紊流流动，要得到比较好的预报结果，应考虑选用雷诺应力方程模型或大涡模拟，但这两类模型的检验和工程应用尚处于研究阶段，而且计算都比较耗时。

4 数值方法

4.1 概述

由于描述水流实际物理过程的偏微分方程十分复杂，绝大多数条件下很难用理论方法求解析解，因此只有采用数值方法求其近似解。通过一定的假定，数值方法将偏微分方程离散成代数方程，然后求解得到未知变量。

紊流流动的控制方程组已经在第三章中讨论过。目前，对紊流方程的数值方法有有限差分法、有限元法、有限体积法，各方法的主要差别在于对连续变量的近似方法不同。

(1) 有限差分法(FDM)是流体流动数值解法最常用的传统方法。该方法的基本思路是：将求解域划分为差分网格，用网格结点代替求解域。用差分方程离散偏微分方程，得到离散点上有限个未知数的差分方程组，加上相应的边界条件，求差分方程组的解，就是原微分方程的数值近似解。

(2) 有限元法(FEM)是将连续求解域任意分成适当形状的微小单元，在各小单元内分片构造插值函数，然后根据极值原理，将微分方程转化为单元内的有限元方程，再将局部单元总体合成，与边界条件共同组成有限元方程组，求解该方程组，就得到各结点上待求的函数值。

(3) 有限体积法(FVM)最早是由 Patankar(1980)提出的，它是将计算区域划分成一系列不重复的控制体积。将流动控制方程在控制体积内积分，得到离散方程组，加上边界条件，求解离散方程组，得到未知变量的值。有限体积法的最大特色，在于它保证了各控制体积内变量的守恒性，离散方程的各项物理意义明确，因此在流动模拟中得到越来越广泛的应用。本章重点介绍应用有限体积法求解三维紊流的具体离散方法。

4.2 有限体积法离散方程

4.2.1 偏微分方程

不可压缩恒定流动的连续方程(3-1)、动量方程(3-2)以及紊流动量 k 和耗散率 ε 的方程(3-6)可以表示成以下一般形式：

$$\frac{\partial}{\partial x}(u\phi-\Gamma\frac{\partial\phi}{\partial x})+\frac{\partial}{\partial y}(v\phi-\Gamma\frac{\partial\phi}{\partial y})+\frac{\partial}{\partial z}(w\phi-\Gamma\frac{\partial\phi}{\partial z})=S(\phi) \qquad (4\text{-}1)$$

式中：$\phi=(u, v, w, k, \varepsilon)$，为独立未知变量。

对连续方程：

$$\phi=1 \qquad \Gamma=0 \qquad S=0$$

对 u 动量方程：

$$\phi=u \qquad \Gamma=\nu+\nu_t$$

$$S(u)=-g\frac{\partial Z_b}{\partial x}-\frac{1}{\rho}\frac{\partial P}{\partial x}+\frac{\partial}{\partial x}(\nu_t\frac{\partial u}{\partial x})+\frac{\partial}{\partial y}(\nu_t\frac{\partial v}{\partial x})+\frac{\partial}{\partial z}(\nu_t\frac{\partial w}{\partial x}) \qquad (4\text{-}1a)$$

对 v 动量方程：

$$\phi=v \qquad \Gamma=\nu+\nu_t$$

$$S(v)=-g\frac{\partial Z_b}{\partial y}-\frac{1}{\rho}\frac{\partial P}{\partial y}+\frac{\partial}{\partial x}(\nu_t\frac{\partial u}{\partial y})+\frac{\partial}{\partial y}(\nu_t\frac{\partial v}{\partial y})+\frac{\partial}{\partial z}(\nu_t\frac{\partial w}{\partial y}) \qquad (4\text{-}1b)$$

对 w 动量方程：

$$\phi=w \qquad \Gamma=\nu+\nu_t$$

$$S(w)=-g\frac{\partial Z_b}{\partial z}-\frac{1}{\rho}\frac{\partial P}{\partial z}+\frac{\partial}{\partial x}(\nu_t\frac{\partial u}{\partial z})+\frac{\partial}{\partial y}(\nu_t\frac{\partial v}{\partial z})+\frac{\partial}{\partial z}(\nu_t\frac{\partial w}{\partial z}) \qquad (4\text{-}1c)$$

对紊动能量方程：

$$\phi=k \qquad \Gamma=\nu+\nu_t/\sigma_k$$

$$S(k)=Prod-\varepsilon \qquad (4\text{-}1d)$$

对紊动耗散率方程：

$$\phi=\varepsilon \qquad \Gamma=\nu+\nu_t/\sigma_\varepsilon$$

$$S(\varepsilon)=\frac{\varepsilon}{k}(C_{\varepsilon1}Prod-C_{\varepsilon2}\varepsilon) \qquad (4\text{-}1e)$$

4.2.2 离散网格

对计算区域沿坐标轴方向布设离散网格，变量在网格上交错布置。图 4-1 为网格上变量布设及控制单元示意图。图上符号表示：当前点为 P，其西侧相邻点为 W，东侧相邻点为 E，北侧点 N，南侧点 S，顶点 T 及底点 B。图中的虚线为控制体积的面，这些控制面的位置用下标小写字母 e、w、n、s、t 和 b 表示。在此，以二维为例进行离散表述(对三维情形的推广也很简单)。

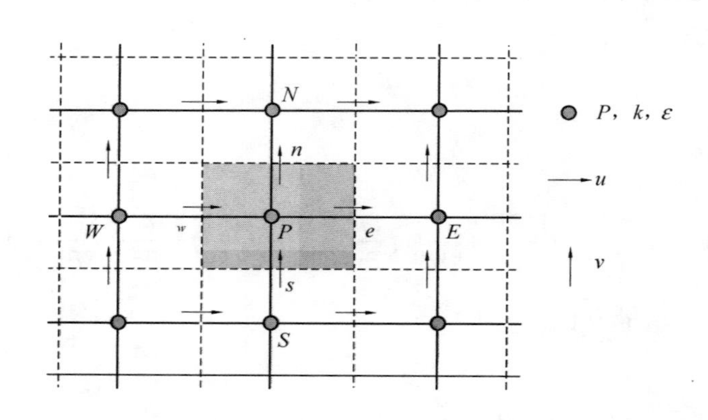

图 4-1 交错网格及控制单元

变量在网格中的布置，标量 P、k 及ε布置在网格点上，如图中小圆点所示，而速度分量布置在网格点之间的控制面上，方向与相应的坐标轴方向一致，如图中短箭头所示，三维情形下的布置方式也是类似的。通过这样的交错网格布设方式，计算得到的标量值在网格点上，矢量值在相应的控制面上。采用交错网格布设的优点将在 4.3 中讨论。

4.2.3 方程离散

有限体积法对控制方程在控制单元内积分，得到该控制单元的离散方程。在进行积分之前，首先引入控制面总通量（对流及扩散）定义。

定义通过控制单元面上的总通量为：

$$J_i = u_i\phi - \Gamma \frac{\partial \phi}{\partial x_i} \tag{4-2}$$

式中：下标 i 为控制单元面的位置，如 e、w、n、s 等。

对一般形式的控制方程(4-1)在控制体 δV 内积分，得到：

$$J_e A_e - J_w A_w + J_n A_n - J_s A_s + J_t A_t - J_b A_b = \overline{S}\delta V \tag{4-3}$$

式中：A_e 等表示控制体在相应单元面的面积；$\overline{S}$ 为该控制体内的平均源（汇）强度。

如果平均源（汇）强度 $\overline{S}$ 与变量 ϕ 有关，则用以下线性关系表示：

$$\overline{S} = S_c + S_p\phi_P \tag{4-3a}$$

式中：S_c 是源（汇）项中与变量无关的项；S_p 为与 ϕ_P 相关的系数，为保证数值计算的稳定性(Patanka, 1980)，通常要求 S_p 取为非负值。

可以采用不同的方法，对总通量 J 进行近似离散。总通量中，扩散项一般都没有问题，根据扩散的性质，扩散过程对流动变量的影响在各个方向都是一致的，因此一般采用中心差分格式，就可以较好地表示扩散作用。但对总通量中的对流项处理必须谨慎。因为对流作用具有方向性，其影响是沿着流动方向的，从上游影响下游。因此，在离散时必须对对流项的方向性加以考虑。对对流项的离散细节将在 4.5 中讨论。

通过控制单元面上的总通量，可以写成一般形式，例如通过西侧控制面的通量 J_w 和东侧控制面的通量 J_e 可以分别表示为：

$$\left.\begin{aligned} J_e A_e &= F_e\phi_P + \{D_e A(|Pe_e|) + \|-F_e, 0\|\}(\phi_P - \phi_E) \\ J_w A_w &= F_w\phi_P + \{D_w A(|Pe_w|) + \|F_w, 0\|\}(\phi_P - \phi_W) \end{aligned}\right\} \tag{4-3b}$$

式中：变量的下标 e、w 表示控制面的位置，下标 P、E、W 表示网格控制点的位置；$F=u$ 表示所对应的控制面(下标所示)单位面积的对流质量通量，u 为该控制面的流速分量；$D=T/\delta x$ 为扩散传导；$Pe=F/D$ 为 Peclet 数；符号 $\|a, b\|$ 表示取 a、b 中的较大值；$A(|Pe|)$ 为一函数，其具体形式与方程离散时采用的对流离散格式有关。表 4-1 列出了不同对流离散格式时该函数的表达式。

表 4-1　函数 $A(|Pe|)$ 的不同表达式

格式	$A(\|Pe\|)$
中心差分	$1-0.5\|Pe\|$
迎风格式	1
混合差分	$\\| 0, 1-0.5\|Pe\| \\|$
幂函数	$\\| 0, (1-0.1\|Pe\|)^5 \\|$
指数函数	$\|Pe\| / [\exp(\|Pe\|)-1]$

对通过控制体北侧、南侧、顶部和底部控制面的通量 J_n、J_s、J_t、J_b 也可以写出相同的表达式。将通量式(4-3b)及线性表达的源（汇）式(4-3a)代入方程(4-3)中，得到以下离散方程：

$$a_P\phi_P = a_E\phi_E + a_W\phi_W + a_N\phi_N + a_S\phi_S + a_T\phi_T + a_B\phi_B + b \tag{4-4}$$

式中：

$$\left.\begin{aligned}
a_E &= D_e A(|Pe_e|) + \|-F_e, 0\| \\
a_W &= D_w A(|Pe_w|) + \|F_w, 0\| \\
a_N &= D_n A(|Pe_n|) + \|-F_n, 0\| \\
a_S &= D_s A(|Pe_s|) + \|F_s, 0\| \\
a_T &= D_t A(|Pe_t|) + \|-F_t, 0\| \\
a_B &= D_b A(|Pe_b|) + \|F_b, 0\|
\end{aligned}\right\} \tag{4-4a}$$

$$\left.\begin{aligned}
a_P &= a_E + a_W + a_N + a_S + a_T + a_B - S_P\delta V \\
b &= S_c\delta V
\end{aligned}\right\} \tag{4-4b}$$

接下来是如何求解方程(4-4)。

4.2.4　离散方程的求解

4.2.4.1　迭代方法

对每一网格点，都可以得到如方程(4-4)的离散方程，共同组成了需要求解的代数方程组。对一维流动问题，经有限单元法离散后构成的代数方程组为三对角方程组，因此可以用三对角矩阵算法(TDMA)进行求解。三对角矩阵算法是由 Thomas 在 1949 年提出的，之后便广泛应用在流动计算求解中，因为三对角算法比较简单，需要的计算内存也不大。

对于多维问题，可以用迭代法沿网格线扫描，将多维问题转化为准一维形式，然后用三对角矩阵法求解。例如，当沿 w-e 网格线求解方程时，离散方程(4-4)变化为以下形式：

$$-a_W\phi_W + a_P\phi_P - a_E\phi_E = a_N\phi_N + a_S\phi_S + a_T\phi_T + a_B\phi_B + b$$

方程右边，将在 N、S、T、B 点上的变量视做已知，其值根据上一时间步的计算结果估计，这样就可以用 TDMA 算法计算变量 ϕ 。然后扫描下一网格线，如此重复，直至得到收敛的计算结果。

4.2.4.2 欠松弛

离散方程(4-4)是一个非线性方程，即方程中变量的系数与变量本身有关。对非线性方程，也可以采用迭代算法变换成线性方程后求解。首先采用某种方法估计方程中系数的值，求解未知变量，然后修正系数的值，迭代至收敛为止。

具体计算时，为防止两次迭代时系数的变化过大，引起计算失稳，通常采用欠松弛技术，调整两次迭代时系数的变化幅度，以保证计算平稳进行。

方程(4-4)可以写成：

$$\phi_P = \phi_P^* + \left[\frac{\sum a_{nb}\phi_{nb} + b}{a_P} - \phi_P^*\right] \tag{4-5}$$

式中：ϕ_P^*表示变量ϕ_P在前一次计算的值，下标 nb 表示计算点 P 附近的所有相邻点；方程右边括号内的项表示变量ϕ_P在本次迭代中的变化，为控制这一变化的幅度，引入欠松弛系数α($0 \leqslant \alpha \leqslant 1$)：

$$\phi_P = \phi_P^* + \alpha\left[\frac{\sum a_{nb}\phi_{nb} + b}{a_P} - \phi_P^*\right]$$

也可以写成：

$$\frac{a_P}{\alpha}\phi_P = \sum a_{nb}\phi_{nb} + b + (1-\alpha)\frac{a_P}{\alpha}\phi_P^* \tag{4-6}$$

方程(4-6)即为最终形式的计算点 P 的代数方程。欠松弛系数的取值最终不影响方程的解，但并不是任何取值都可以保证计算的稳定性，也没有一般性的公式可以指导选取最合适的欠松弛系数。计算时可以试算，也可以根据经验来确定。

4.2.4.3 收敛准则

采用迭代计算时，必须事先确定计算收敛的准则，以判定计算是否已经收敛，决定计算是否继续进行。收敛准则取决于具体计算问题的特性以及计算目的。收敛准则所判定的，是计算变量满足离散方程组的接近程度。对每一计算点，计算残余变量可以用下式表示：

$$R = \sum a_{nb}\phi_{nb} + b - a_P\phi_P \tag{4-7}$$

对于精确解，参与残余变量 R 处处为零。一般取$|R|$小于某一个较小数，如 $10^{-3} \sim 10^{-5}$。

4.3 SIMPLE 算法

由于速度方程(4-1a)~(4-1c)中包含有压力梯度项 $\partial P / \partial x_i$，因此要求解速度的动量方程必须要先有正确的压力场，而压力场是隐含在连续方程中的。SIMPLE 算法即是将压力项在连续方程中的间接指定转化为直接计算的方法。

SIMPLE 指 Semi-Implicit Method for Pressure-Linked Equations，即求解压力耦合方程的半隐式算法，是 Patankar 和 Spalding 于 1972 年提出的。该方法的本质是基于交错网格的预测校正算法。

根据离散方程(4-4)，速度（如 u_e）的动量方程可以写成以下形式：

$$a_e u_e = \sum a_{nb} u_{nb} + b + A_e(P_P - P_E) \tag{4-8}$$

式中：b 包括了原方程中的源项，但不包括压力梯度项。

由于采用交错网格的布置方式，方程中的压力梯度可以采用相邻点的压力差表示，这样不必再在计算中对压力进行插值，从而避免了可能出现的“锯齿”型压力场（Patankar, 1980）。

假定 P^*为一估计的压力场，P'为压力修正，u^*为根据 P^*得到的速度场，u'是相应的速度修正，因此：

$$P = P^* + P'$$
$$u = u^* + u'$$

对一个估计的压力场 P^*，速度修正可以表示成以下形式：

$$a_e u_e^* = \sum a_{nb} u_{nb}^* + b + A_e (P_P^* - P_E^*) \tag{4-9}$$

式(4-8)减去式(4-9)得到：

$$a_e u_e' = \sum a_{nb} u_{nb}' + b + A_e (P_P' - P_E') \tag{4-10}$$

SIMPLE 算法认为 $\sum a_{nb} u_{nb}'$ 的影响可以忽略不计，则速度校正计算式可以写成：

$$u_e = u_e^* + d_e (P_P' - P_E') \quad d_e = A_e / a_e \tag{4-11}$$

对速度分量 v 和 w 也可得到同样的计算式。

将以上速度校正式代入离散的连续方程，得到压力修正方程，可写成以下形式：

$$a_P P_P' = a_E P_E' + a_W P_W' + a_N P_N' + a_S P_S' + a_T P_T' + a_B P_B' + b \tag{4-12}$$

式中：

$$\left.\begin{aligned} a_E &= (Ad)_e \\ a_W &= (Ad)_w \\ a_N &= (Ad)_n \\ a_S &= (Ad)_s \\ a_T &= (Ad)_t \\ a_B &= (Ad)_b \end{aligned}\right\} \tag{4-12a}$$

$$\left.\begin{aligned} a_P &= a_E + a_W + a_N + a_S + a_T + a_B \\ b &= (u^*A)_w - (u^*A)_e + (u^*A)_s - (u^*A)_n + (u^*A)_b - (u^*A)_t \end{aligned}\right\} \quad (4\text{-}12b)$$

SIMPLE 算法提供的是一种求解压力耦合流动问题的迭代算法。总结起来，该算法的主要步骤包括以下几个：

(1) 估计所有的独立变量值 P^*、u^*、v^*、w^*和ϕ^*；

(2) 求解如式(4-9)的速度动量方程；

(3) 求解压力修正方程(4-12)；

(4) 用压力修正及速度修正式(4-11)修正压力和速度；

(5) 求解所用的离散动量方程；

(6) 用计算得到的新变量值返回第 2 步，重复 2～6 步骤直至计算收敛。

4.4 对流项的高精度算法

4.4.1 概要

对流项的高精度模拟一直是计算流体方法研究中最具挑战性的问题之一。一般地，差分方法的精度取决于泰勒级数展开的截断误差。前面提到的几种数值计算格式，如迎风格式、混合差分格式、幂函数格式等，都只有一阶计算精度。为减少计算误差，要求有更高精度的计算格式。中心差分格式是二阶精度的，但这种格式不能反映流动的方向性，可能使计算结果不稳定。对流项的高精度算法，既要保证计算精度，又要能反映变量对流动方向的敏感性。

离散格式的特性可以用守恒性、有限性及传导性等加以描述(Versteeg 和 Malalasekera, 1995)。如果格式中变量ϕ 流经一个面的表达方式是一致的，则该格式是守恒的。格式的有限性指如果没有源（汇）项，变量ϕ在内点上的值应该在边界值的控制范围之内。格式的传导性反映的是 Peclet 数和 Pe 值（对流和扩散强度的比值）之间的关系及流动方向的影响。如果格式中反映了流动方向的影响，并考虑了对流和扩散的强度，则该格式是传导性格式。一些格式的上述性质总结在表 4-2 中。在下节将重点介绍 QUICK 格式的有关特性。

表 4-2 几种对流格式的特性

格式	优点	缺点
迎风	•守恒 •有限 •传导 •易于扩展到二维及三维情况	•有假扩散 •一阶精度
中心差分	•守恒 •二阶精度	•当 $Pe>2$ 时，有上下振荡脉冲 •高 Pe 数时不具传导性
幂函数	•完全守恒 •有限 •传导 •易于扩展到二维及三维情况	•一阶精度
QUICK	•守恒 •传导 •二阶精度，纯对流问题有三阶精度 •易于扩展到二维及三维情况	•梯度突然变化时会出现上下振荡脉冲

4.4.2 QUICK 格式

QUICK（Quadratic Upstream Interpolation for Convective Kinetics）格式是为对流较强流动设计的有限差格式，最早由 Leonard 提出（1979）。该格式利用三个点组成的二次函数计算界面的总通量，其中两个点位于计算点的两侧，另一个点位于计算点的更上游侧。

4.4.2.1 QUICK 格式的基本形式

一维恒定的对流扩散方程可以写成：

$$\frac{\mathrm{d}}{\mathrm{d}x}(\rho u\phi)=\frac{\mathrm{d}}{\mathrm{d}x}\left(\Gamma\frac{\mathrm{d}\phi}{\mathrm{d}x}\right)+S \tag{4-13}$$

对方程（4-13）在如图 4-2 所示的控制体内积分，得到：

$$(\rho uA\phi)_e-(\rho uA\phi)_w=(\Gamma A\frac{\partial\phi}{\partial x})_e-(\Gamma A\frac{\partial\phi}{\partial x})_w+S^* \qquad (4\text{-}14)$$

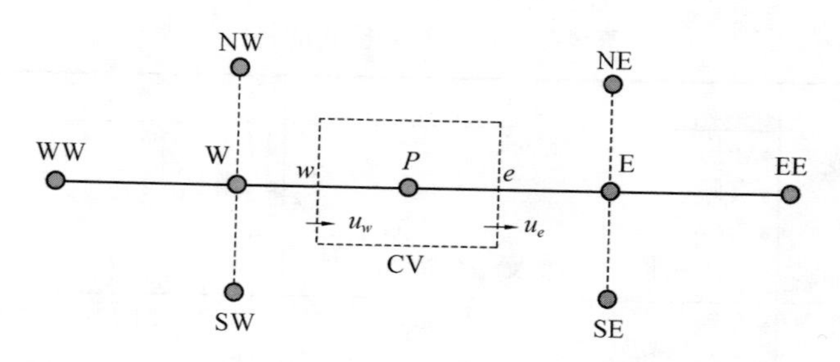

图 4-2　计算点 P 的控制体

根据流动的方向，QUICK 格式用于计算点 P 的两个上游结点和一个下游结点组成二次函数，计算通过控制体界面的流量通量。例如，对于东侧的界面 e，界面通量 ϕ_e 近似表示为：

$$\begin{cases}\phi_e=\dfrac{3}{8}\phi_E+\dfrac{3}{4}\phi_P-\dfrac{1}{8}\phi_W & (u_e>0)\\ \phi_e=\dfrac{3}{8}\phi_P+\dfrac{3}{4}\phi_E-\dfrac{1}{8}\phi_{EE} & (u_e<0)\end{cases} \qquad (4\text{-}15)$$

对西侧的界面 w 也有：

$$\begin{cases}\phi_w=\dfrac{3}{8}\phi_P+\dfrac{3}{4}\phi_W-\dfrac{1}{8}\phi_{WW} & (u_w>0)\\ \phi_w=\dfrac{3}{8}\phi_W+\dfrac{3}{4}\phi_P-\dfrac{1}{8}\phi_E & (u_w<0)\end{cases} \qquad (4\text{-}16)$$

对扩散项采用中心差分格式：

$$(\frac{\mathrm{d}\phi}{\mathrm{d}x})_e=\frac{\phi_E-\phi_P}{\delta x} \qquad (\frac{\mathrm{d}\phi}{\mathrm{d}x})_w=\frac{\phi_P-\phi_W}{\delta x} \qquad (4\text{-}17)$$

将式(4-15)、式(4-16)以及式(4-17)代入方程(4-14)，定义 $F=\rho u$, $D=\Gamma/\delta x$，可导出均匀网格下一维对流扩散方程的离散方程为：

$$a_P\phi_P = a_W\phi_W + a_E\phi_E + a_{WW}\phi_{WW} + S^* \quad F_w>0，F_e>0 \qquad (4\text{-}18)$$

对于二维及三维的情况，除了以上的三结点二次函数计算界面通量之外，还补充一项由于上游侧横向流动引起的横向弯曲 *CURVT* 项(二维情形)和垂向流动引起的垂向弯曲 *CURVV* 项（三维情形），两项的计算公式如下：

$$\begin{cases} CURVT_w = \dfrac{\phi_{NW} - 2\phi_W + \phi_{SW}}{\delta y^2} \\ CURVV_w = \dfrac{\phi_{TW} - 2\phi_W + \phi_{BW}}{\delta z^2} \quad (u_w > 0) \end{cases} \qquad (4\text{-}19)$$

4.4.2.2 QUICK 格式的稳定性及其修正

由 Leonard 导出的最初形式的 QUICK 格式，由于缺乏系数非负的限制条件，因此可能出现计算的不稳定。对此，不少学者研究其修正办法，在此介绍由 Hayase 等(1990)提出的一种修正 QUICK 格式。

原始形式的 QUICK 格式可以写成：

$$\left.\begin{aligned} \phi_e &= a_1\phi_{i-1} + a_2\phi_i + a_3\phi_{i+1} + S_e^+ \quad (u_e > 0) \\ \phi_w &= b_1\phi_{i-1} + b_2\phi_i + b_3\phi_{i+1} + S_w^+ \quad (u_w > 0) \end{aligned}\right\} \qquad (4\text{-}20)$$

式中：a_j 和 b_j ($j = 1, 2, 3$) 为三个结点的权重系数。

应用以下四项基本法则，确定式(4-20)中的权重系数。

法则 1：界面的通量连续，如 $(\phi_e)_i = (\phi_w)_{i+1}$；

法则 2：所有系数为正；

法则 3：源项线性化时，保持系数非负；

法则 4：中心点系数为相邻点系数之和。

同时还应满足系数条件 $\sum a_j=1$，$\sum b_j=1$。

这样，QUICK 格式中界面通量的计算可以写成以下形式：

$$\phi_{\text{face}} = \phi_{\text{upstreampoint}} + \frac{1}{8} S_{\text{corrtion}}$$

如控制体 e 和 w 界面的通量计算式为：

$$\left.\begin{aligned} \phi_e &= \phi_i + \frac{1}{8}(-\phi_{i-1} - 2\phi_i + 3\phi_{i+1}) \\ \phi_w &= \phi_{i-1} + \frac{1}{8}(-\phi_{i-2} - 2\phi_{i-1} + 3\phi_i) \end{aligned}\right\} \quad (4\text{-}21)$$

通过修正的 QUICK 格式，保证了系数非负，从而避免了稳定性问题。应说明的是，无论采用什么样的 QUICK 格式，其最后收敛计算结果都是一致的。

4.4.2.3　三维对流扩散的 QUICK 格式

将三维对流扩散的控制方程(4-1)在三维控制体内（如图 4-3 所示）积分，其中源项用非负斜率系数进行线性化处理：

$$S(\phi) = S_c + S_P\phi_P \qquad S_P \leqslant 0$$

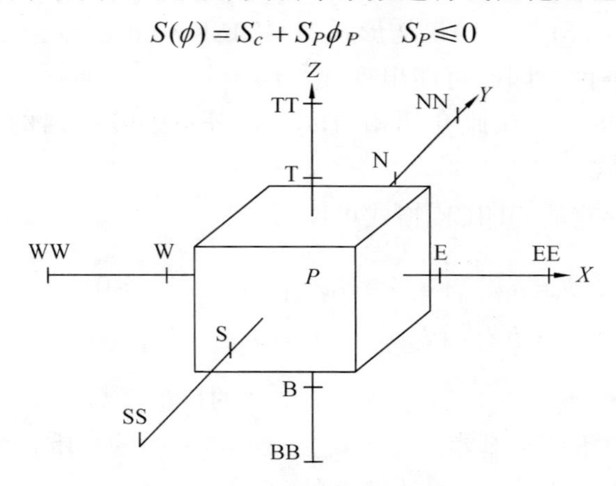

图 4-3　三维控制体

积分后得到：

$$(U\phi - \Gamma\frac{\partial\phi}{\partial x})_w^e + (V\phi - \Gamma\frac{\partial\phi}{\partial y})_s^n + (W\phi - \Gamma\frac{\partial\phi}{\partial z})_b^t = S_c\delta V + S_P\phi_P\delta V \quad (4\text{-}22)$$

采用 Hayase 的 QUICK 格式计算界面通量，则

当 $u_e>0$，$u_w>0$ 时：

$$\left.\begin{aligned}\phi_e&=\phi_P+S_e^+\\ \phi_w&=\phi_W+S_w^+\end{aligned}\right\}\tag{4-23a}$$

当 $u_e<0$，$u_w<0$ 时：

$$\left.\begin{aligned}\phi_e&=\phi_E+S_e^-\\ \phi_w&=\phi_P+S_w^-\end{aligned}\right\}\tag{4-23b}$$

式中：S_e^+、S_e^-、S_w^+ 和 S_w^- 为变换后的综合源项，包括了三维流动中的法向弯曲项、纵向弯曲项以及垂向弯曲项：

$$\begin{aligned}
S_e^+&=\frac{1}{8}(-\phi_W-2\phi_P+3\phi_E)+\frac{1}{24}(\phi_N-2\phi_P+\phi_S)\\
&\quad+\frac{1}{24}(\phi_T-2\phi_P+\phi_B)\\
S_w^+&=\frac{1}{8}(-\phi_{WW}-2\phi_W+3\phi_P)+\frac{1}{24}(\phi_{NW}-2\phi_W+\phi_{SW})\\
&\quad+\frac{1}{24}(\phi_{TW}-2\phi_W+\phi_{BW})\\
S_e^-&=\frac{1}{8}(-\phi_{EE}-2\phi_E+3\phi_P)+\frac{1}{24}(\phi_{NE}-2\phi_E+\phi_{SE})\\
&\quad+\frac{1}{24}(\phi_{TE}-2\phi_E+\phi_{BE})\\
S_w^-&=\frac{1}{8}(-\phi_E-2\phi_P+3\phi_W)+\frac{1}{24}(\phi_N-2\phi_P+\phi_S)\\
&\quad+\frac{1}{24}(\phi_T-2\phi_P+\phi_B)
\end{aligned}\tag{4-23c}$$

通过控制体西侧面的总通量可以表示为：

$$\begin{aligned}\left(U\phi-\Gamma\frac{\partial\phi}{\partial x}\right)_w&=\|F_w,0\|(\phi_W+S_w^+)-\|0,-F_w\|(\phi_P+S_w^-)\\&\quad-D_w(\phi_P-\phi_W)\end{aligned}\tag{4-24}$$

式中：$F_w = u_w$，$D_w = \Gamma_w / \delta x_w$。

对控制体东侧面，也可写出相似的表达式：

$$(U\phi - \Gamma \frac{\partial \phi}{\partial x})_e = \|F_e, 0\|(\phi_P + S_e^+) - \|0, -F_e\|(\phi_E + S_e^-) - D_e(\phi_E - \phi_P) \quad (4\text{-}25)$$

对控制体其他侧面，也可写出类似的表示式，将界面通量式代入方程(4-22)，整理后得到一般形式的离散方程为：

$$a_P\phi_P = a_E\phi_E + a_W\phi_W + a_N\phi_N + a_S\phi_S + a_T\phi_T + a_B\phi_B + b \quad (4\text{-}26)$$

式中：

$$\left.\begin{aligned} a_E &= \|0, -F_e\| + D_e A_e \\ a_W &= \|F_w, 0\| + D_w A_w \\ a_N &= \|0, -F_n\| + D_n A_n \\ a_S &= \|F_s, 0\| + D_s A_s \\ a_T &= \|0, -F_t\| + D_t A_t \\ a_B &= \|F_b, 0\| + D_b A_b \\ a_P &= \sum_{nb} a_{nb} - S_P \delta V \end{aligned}\right\} \quad (4\text{-}26a)$$

$$\begin{aligned} b = {} & A_w\|F_w, 0\|S_w^+ - A_w\|-F_w, 0\|S_w^- - A_e\|F_e, 0\|S_e^+ + A_e\|-F_e, 0\|S_e^- \\ & + A_s\|F_s, 0\|S_s^+ - A_s\|-F_s, 0\|S_s^- - A_n\|F_n, 0\|S_n^+ + A_n\|-F_n, 0\|S_n^- \\ & + A_b\|F_b, 0\|S_b^+ - A_b\|-F_b, 0\|S_b^- - A_t\|F_t, 0\|S_t^+ + A_t\|-F_t, 0\|S_t^- \\ & + S_c \delta V \end{aligned} \quad (4\text{-}26b)$$

方程(4-26)的形式仍与方程(4-4)相同，只是系数有所改变。可以用求解方程(4-4)相同的计算步骤求解方程（4-26）。

4.5 小结

本章介绍了求解三维紊流控制方程的数值方法。重点介绍了控制体积法（FVM）的基本原理和数值离散技术。FVM 的关键步骤是将控制方程在控制体内积分，得到代数方程组。由于方程组中压力场与流场耦合，其求解应用较多的是 SIMPLE 算法，通过估计压力场，反复迭代求解。

对强对流问题，需要采用高精度的对流离散格式，以提高计算精度。本章总结了几种典型的对流格式特性，其中迎风格式和对数格式只有一阶精度，中心差分格式具有二阶精度，但在高 Peclet 流动时没有可传导性。本章重点介绍了一种修正的具有二阶精度的 QUICK 格式。该格式在基本 QUICK 格式的基础上，通过应用四项基本法则推导界面通量计算式中的系数，保证了格式的稳定性。不过 QUICK 格式还不满足有限性特征，计算时可能出现振荡，需加以注意。

5　丁坝定床流动的三维数值分析

5.1　概述

丁坝广泛用于河道护岸工程，以防止洪水期河岸的冲蚀破坏。它也可以改善低流时河道的水深条件，有利于通航。最近，在河道生态环境修复工程中，丁坝开始得以应用，通过提供浅滩、深潭等多样化的地形和水流条件，增加水流条件的多样性，增加水生生物栖息地。

系统了解丁坝附近的水流及冲淤特性，对上述的实际工程具有重要的指导意义。但丁坝附近的水流流动结构具有较强的特殊性，随水流条件、丁坝形态、布置位置以及布置形式的不同而不同，对每一具体问题，需要具体的解决方案(Klingemen 等，1984)。

相对于物理模型而言，数学模型由于其省时、费用低的优点，正越来越多地用于丁坝水流及泥沙冲淤的分析研究，如丁坝水流及泥沙输运的二维及三维数值模拟研究(Thomas 等，1995；Fukuoka 等，1995；Takaki 等，1996；Ouillon 和 Dartus，1997)。但由于丁坝近体水流结构和泥沙冲淤的复杂性，目前还没有充分认识其内紊动和漩涡的运动机理，以及与局部冲淤的关系，数值模型的预报精度也有待提高。特别是丁坝近体水流流态呈现出典型的三维紊动流特征，对数值模拟而言很具挑战性。

在丁坝流的数值模拟中，关键问题之一就是紊流模型的预报精度。目前最成熟和应用最广泛的紊流模型是标准 k-ε 模型。遗憾的是，标准 k-ε 模型对预报丁坝流的精度不够，主要是不能较好地模拟丁坝后的回流流态，而回流流态对丁坝流动而言是关键问题。因此，改进标准 k-ε 模型对丁坝回流的预报精度问题，一直得到诸多模型研究人员的关注。从实际应用的角度来看，有效的模型应在提高计算精度的同时，不过多增加计算时间和费用。在这方面比较有代表性的研究，包括 Zhu 和 Shih(1994)，Speziale 和 Thangam(1992)，Launder 和 Kato(1993)，Shih 等(1995)。这些模型都经过了与试验数据的验证，预报性能有不同程度的改善。除上述这些线性模型之外，还有非线性的 k-ε 模型(Speziale，1987；Shih，1997)，可以较好地模拟当紊流的各项异性特征比较重要时的紊流流动。

本章将几种修正的 k-ε 模型和一种非线性 k-ε 模型应用于丁坝紊流的三维模拟(定床条件)。将在第二章中介绍的试验结果，用于上述几个模型的验证比较，同时详细分析了丁坝近体的水流结构，并讨论了丁坝的布设间距对水流结构特性的影响。

5.2 模型验证

三维水流模型的控制方程已经在第三章中介绍过。本章采用的紊流模型包括：Zhu—Shih 的修正模型(下称“Zhu-Shih 模型”)，Speziale 和 Thangam 的 RNG 模型(下称“RNG 模型”)，Launder 和 Kato 的修正模型(下称“LK 模型”)，以及 Shih 的非线性模型(下称“非线性模型”)。这些模型已在第三章中详细介绍过。

采用有限体积法离散方程。为保证数值计算的精度和稳定性，对方程中的对流项，采用具有二阶精度的 QUICK 格式离散(Hayase 等，1990)。方程中速度和压力的耦合用 SIMPLE 算法求解。计算中将收敛准则定为所有计算变量的最大残余量小于 10^{-4}。

确定计算范围时，主要考虑边界位置要足够远离丁坝的扰动范围，使边界条件不受丁坝绕流的影响。边界条件包括河道进口、出口、自由表面以及固体边壁处条件。进口给定流速值和紊动变量值，出口给定变量的变化梯度为零，自由表面用刚性自由表面条件，即认为自由表面是一个对称面。用壁函数方法处理固体边壁条件(具体方法已在第三章中介绍过)。初始条件可以给定全场恒定水位和流速 0 初值，但为节约计算时间，本章用恒定方程计算初值。

5.2.1 单一丁坝绕流

先用单一丁坝绕流验证模型。单一丁坝绕流的试验是由 Tominaga 和 Chiba (1996)完成的。试验水槽及试验用丁坝的几何条件如图 5-1 所示。设 x 轴为沿水流方向，y 轴为横断面方向，z 轴为沿水深方向。试验水槽的长度为 8 m，宽度 30 cm。丁坝位于 x=4 m

的位置。试验时流量 3 600 cm^3/s，水深约 9 cm。

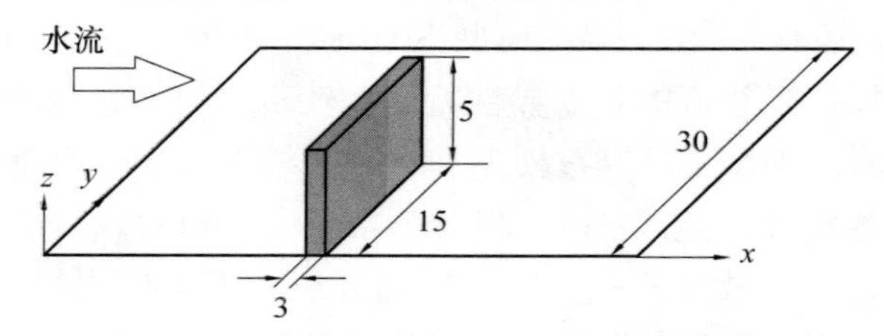

图 5-1　单一丁坝绕流试验条件(单位：cm)

计算模拟时，所有条件与试验条件相同。三维模型的网格点在 x、y 和 z 方向为 147×47×20，到丁坝附近网格逐渐加密。在下面的讨论中，如果没有特别提及，流速的表示均采用了与平均来流流速 u_m 比值的无量纲形式。用 Zhu-Shih 紊流模型和非线性紊流模型分别计算，并与试验结果相比较。

图 5-2(a)、(b)是流向流速剖面计算与试验的比较。选取了两个比较位置，位置一：x=4.05 m，z=2 cm；位置二：x=4.2 m，z=2 cm，位置位于靠近床面的丁坝下游 2 cm 处，位置二位于丁坝下游的回流区。从比较结果来看，在丁坝端部(y>0.15 m)，Zhu-Shih 模型预报的流速值偏小，这样将影响对丁坝端部分离流的预报。在这一方面，非线性紊流模型的预报性能要好于 Zhu-Shih 模型，计算流速更接近试验测量值。在丁坝下游侧的回流区，两个模型都预报出了反向流速。

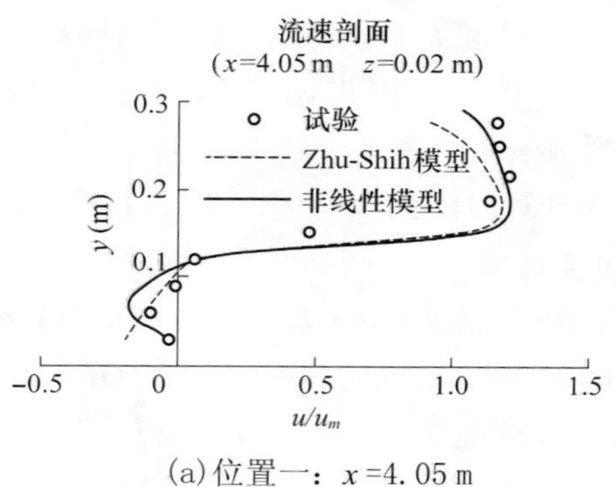

(a)位置一：x=4.05 m

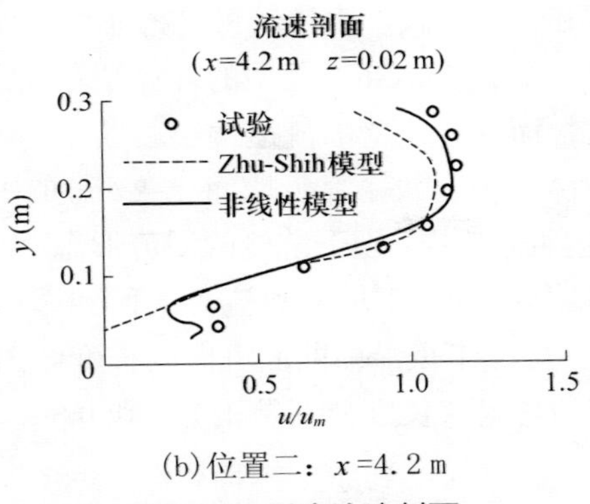

(b) 位置二：x =4.2 m

图 5-2　近床流速剖面

图 5-3(a)、(b)是 z=7 cm 水平面上，两个位置 x=4.05 m 和 x=4.2 m

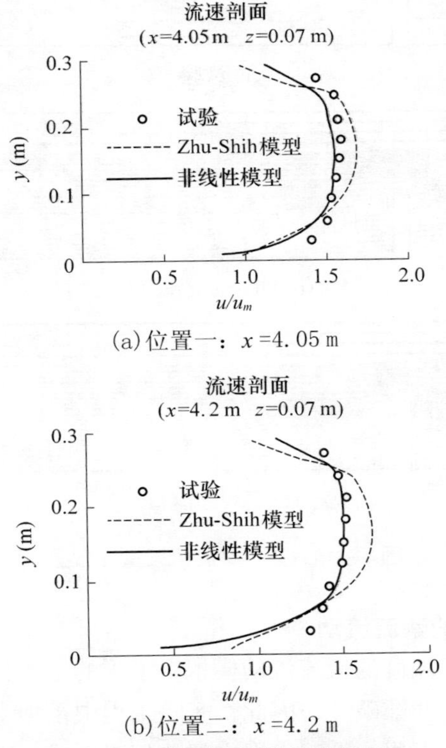

(a) 位置一：x =4.05 m

(b) 位置二：x =4.2 m

图 5-3　靠近水面的流速剖面

的流速剖面计算和试验比较。由比较可见，非线性模型的计算结果与试验相当吻合，优于 Zhu-Shih 模型的计算结果，后者在水槽中心部分的流速偏大，而在近边壁的流速偏小。

图 5-4(a)、(b)、(c) 比较了靠近床面(z=2 cm)的平面流速矢量分布图,计算合理地预报出了丁坝下游侧的回流形态。在试验条件下，测量到的回流再附着长度(丁坝分离流再次回到岸边的位置与丁坝的距离)为 0.7 L_g (L_g是丁坝沿横断面方向的长度)。Zhu-Shih 模型和非线性模型计算的再附着长度分别是 1.0 L_g和 0.8 L_g,比试验结果偏大。

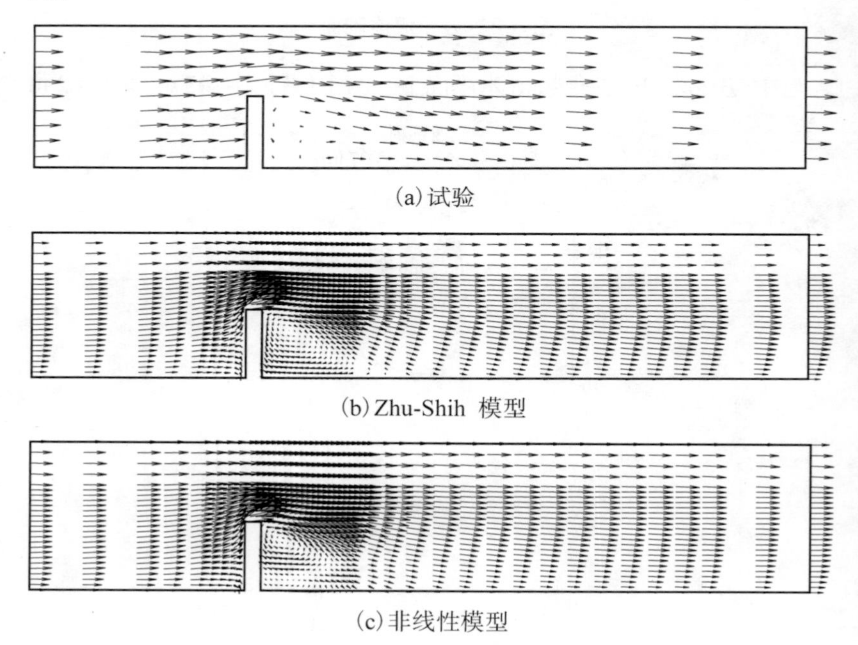

(a) 试验

(b) Zhu-Shih 模型

(c) 非线性模型

图 5-4 近床 u-v 流速矢量分布图

5.2.2 丁坝群的紊流流动

下面讨论丁坝群的紊流流动模拟。丁坝的主要作用之一，是保护岸坡不受水流冲蚀破坏，因此，实际工程中丁坝多以丁坝群的方式，连续布设在岸边。由于丁坝之间的相互影响，丁坝群的水流流态和局部冲淤要比单一丁坝复杂得多，而对实际工程而言，对丁坝群的流态和冲淤认识，更具有实际指导意义。

同样用 Zhu-Shih 模型和非线性模型，计算丁坝群紊流流动时的三维流态。丁坝群的流动试验研究已在第二章介绍过，在此将计算结果与试验结果相比较。

试验条件如 2.3 中所介绍的。图 5-5 示意性地表示出了丁坝间的几何位置关系以及坐标选取。坐标原点位于第一个丁坝的迎流面角点，即第一个丁坝的坐标位置为 x=0 ~ 3 cm，y = 0 ~ 10 cm 以及 z= 0 ~ 5 cm。图中还显示了在下面分析中提到的平面流速矢量的水平面 H 和垂直面 V 的位置。第二章中的丁坝群过流试验有三种工况，在此，只比较分析其中的工况-2 和工况-3。

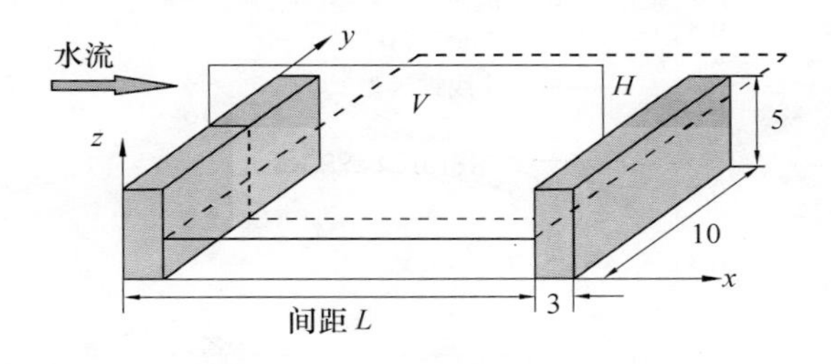

图 5-5　丁坝群流动(单位：cm)

图 5-6(a)、(b)比较了工况-3 条件下，实测流速剖面和两种紊流模式的计算流速剖面。断面位于 x=8.0 cm(上游测丁坝的回流区)和 x=18.0 cm(两个丁坝的中间)，两个断面离河床的高度均为 1 cm。对比分析表示，Zhu-Shih 模型预报的坝端分流流流速偏大(y=10 ~ 20 cm)，而非线性模型对此的预报性能有所改善。不过两个模型都不能很好地预报对岸侧附近的流速，其计算值比实测值低。

再比较流速剖面在其他水平面位置的分布情况。图 5-7 为 z=5 cm 平面上(与丁坝高度相同的平面)讨论的两个位置的流向流速剖面比较。同样，Zhu-Shih 模型对坝端分流流预报偏高，而非线性模型对此有明显改善。不过两模型还是未能很好地预报远侧边壁附近的流速。

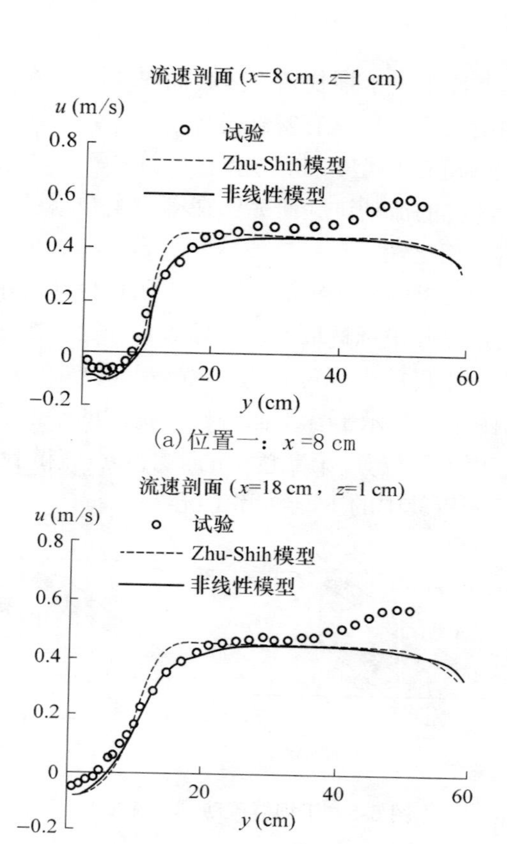

(a) 位置一：x =8 cm

(b) 位置二：x =18 cm

图 5-6　流向流速剖面比较(离床底 1 cm 高位置)

关于丁坝群流动条件下，远侧边壁计算流速偏小的原因还不是很清楚，需要做进一步的深入研究。

丁坝群条件下，两丁坝之间的环流形态可以通过不同平面上的流速矢量图表示，包括水平面 H 上的 u-v 矢量和垂直面 V 上的 u-w 矢量图。图 5-8 和图 5-9 分别为 z =1 cm 和 z =4 cm 水平面的 u-v 流速矢量试验与计算结果比较(工况-2)。图 5-10 和图 5-11 分别为 y =1 cm 和 y =5 cm 垂直面上 u-w 流速矢量比较(工况-2)。计算与试验结果吻合良好，特别是垂直面上的回流形态。表明模型对丁坝群三维流动模拟的性能总体良好。

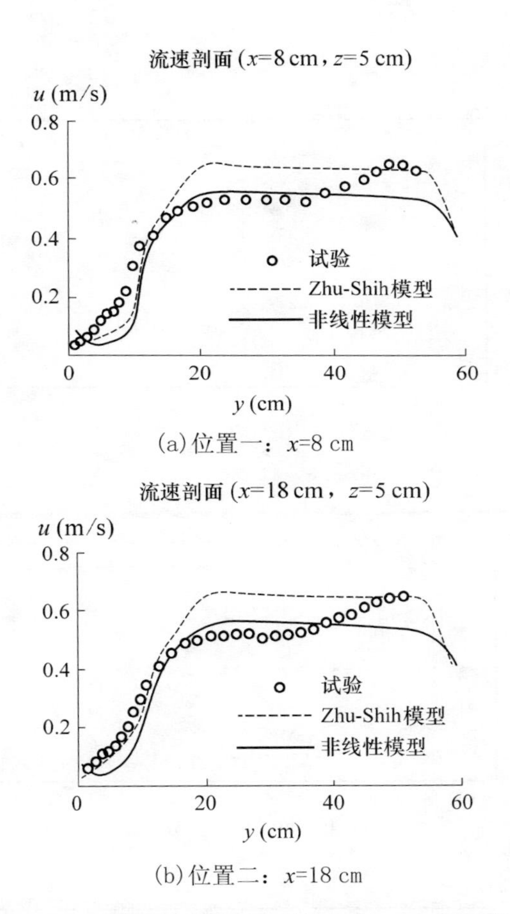

图 5-7　流向流速剖面比较（离床底 5 cm 高位置）

下面进一步讨论工况-3 丁坝群水流流动的情形。图 5-12 为水平面的 *u*-*v* 流速矢量分布，图 5-13 为垂直面的 *u*-*w* 流速矢量分布。比较而言，非线性模型计算得到的回流形态与试验结果更接近，特别是图 5-12 中的 *u*-*v* 流速图。在试验中记录到两丁坝之间，由边壁向水槽中心部分有较强的流动，即沿 *y* 方向的流动。这种流动在汇入主流之后，受主流抑制，转向流向下游，在交汇处产生较强剪切和漩涡。非线性模型能够较好地模拟这种复杂的强三维流动，相对而言，Zhu-Shih 模型的精度稍差，预报的回流漩涡尺度稍大，位置偏下游。

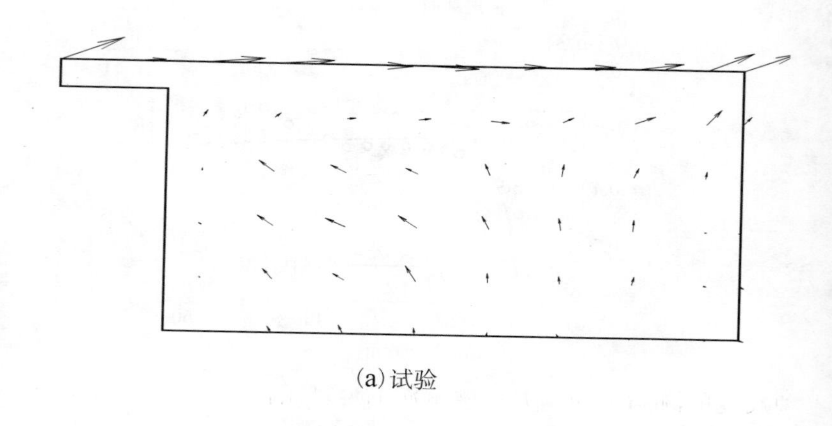

(a)试验

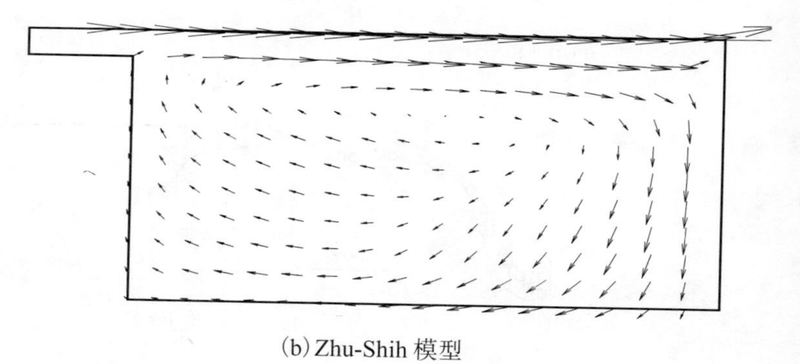

(b)Zhu-Shih 模型

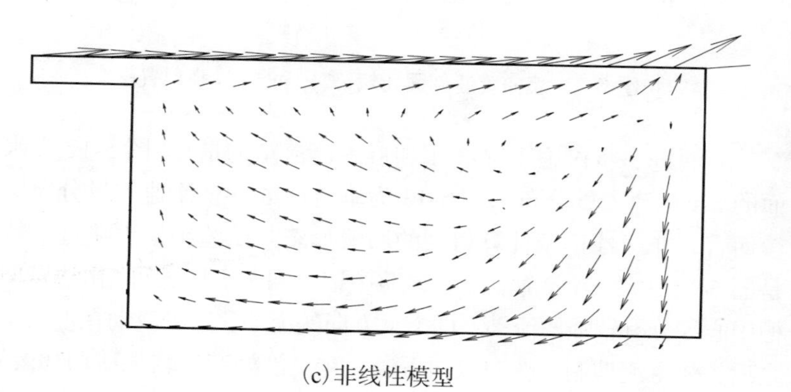

(c)非线性模型

图 5-8　水平面 u-v 流速矢量比较(工况-2，水平面高度 z=1 cm)

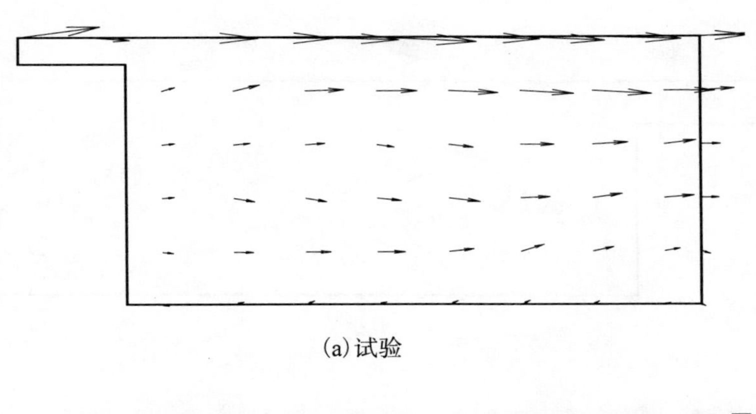

(a) 试验

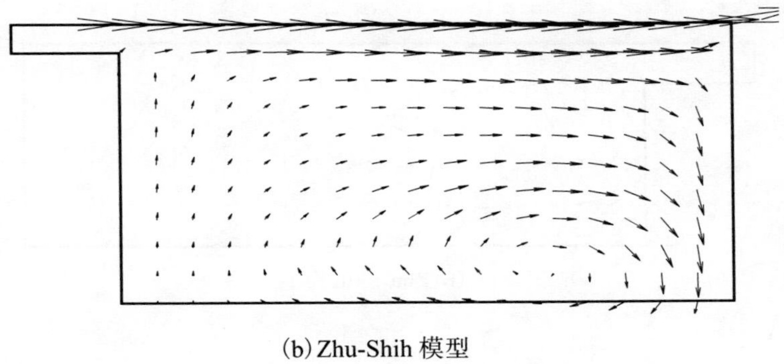

(b) Zhu-Shih 模型

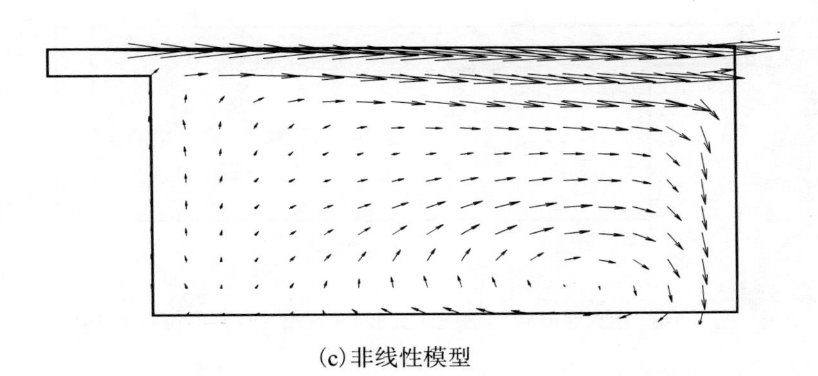

(c) 非线性模型

图 5-9　水平面 *u*-*v* 流速矢量比较（工况-2，水平面高度 z=4 cm）

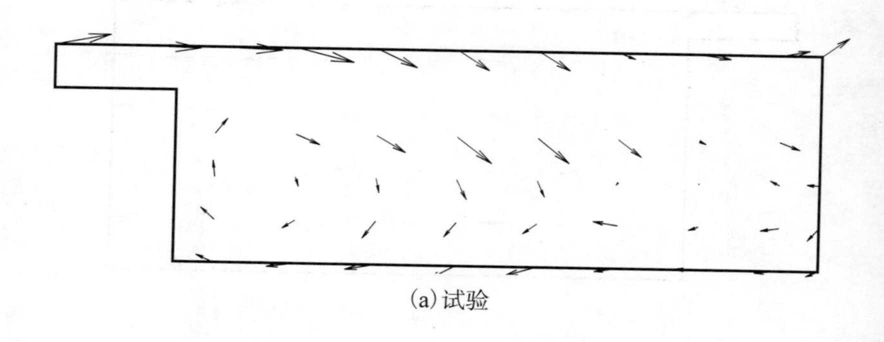

(a)试验

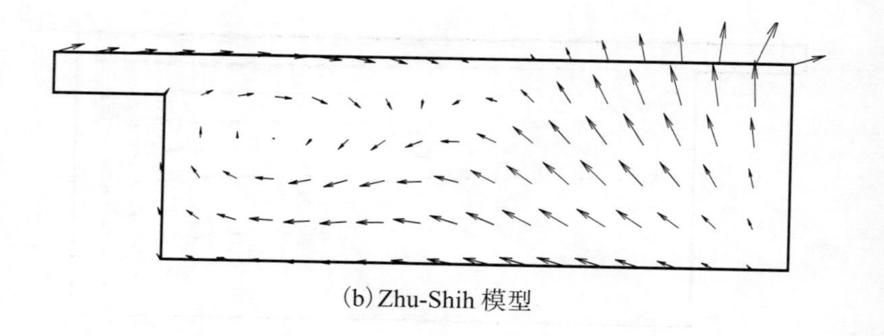

(b)Zhu-Shih 模型

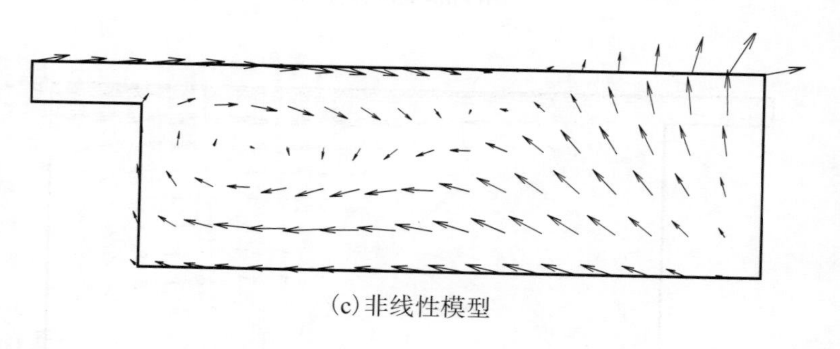

(c)非线性模型

图 5-10　垂直面 u-w 流速矢量比较(工况-2，垂直面位置 y=1 cm)

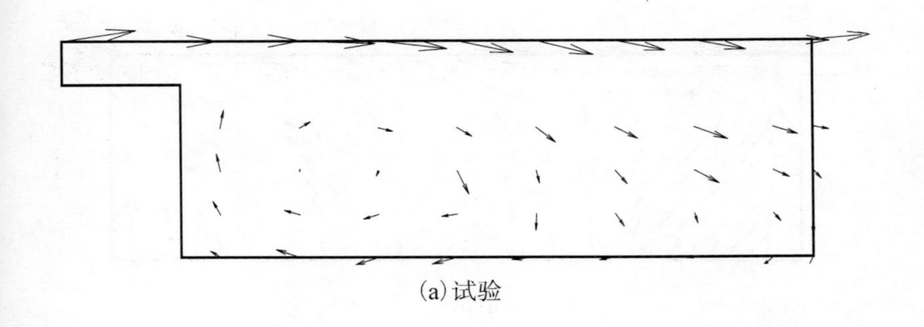

(a) 试验

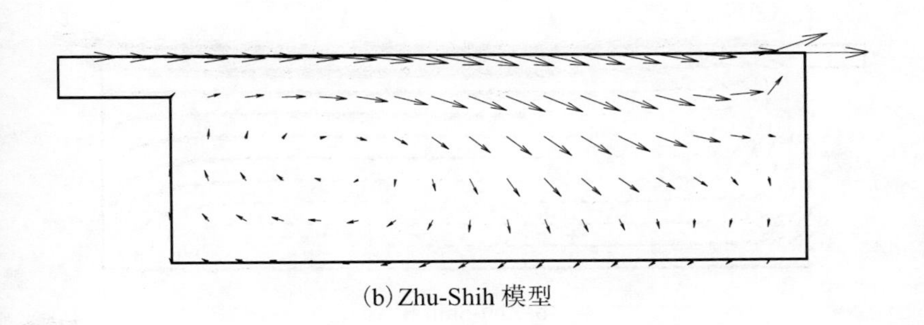

(b) Zhu-Shih 模型

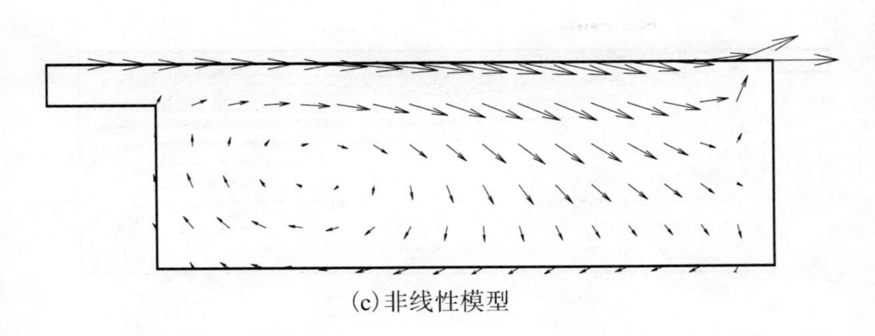

(c) 非线性模型

图 5-11　垂直面 u-w 流速矢量比较（工况-2，垂直面位置 y=5 cm）

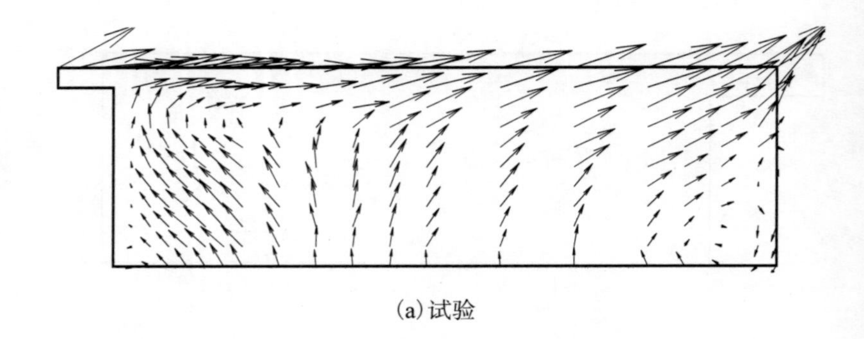

(a) 试验

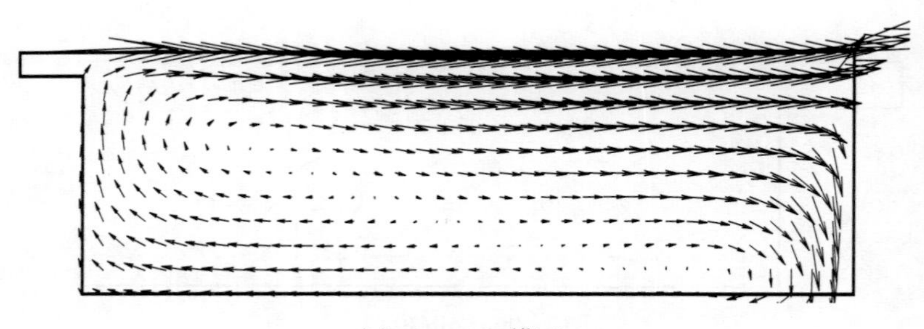

(b) Zhu-Shih 模型

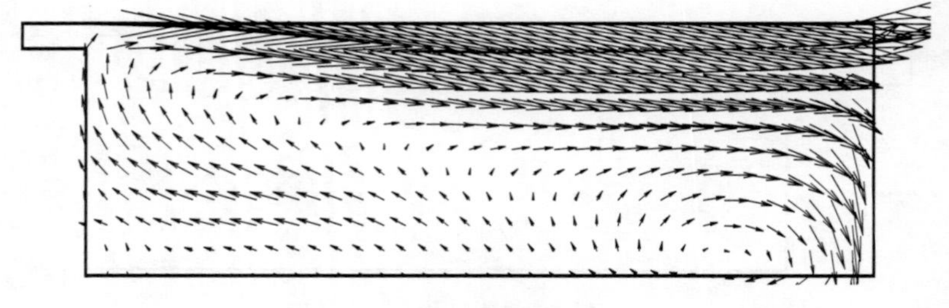

(c) 非线性模型

图 5-12　水平面 u-v 流速矢量比较（工况-3，水平面高度 z=1 cm）

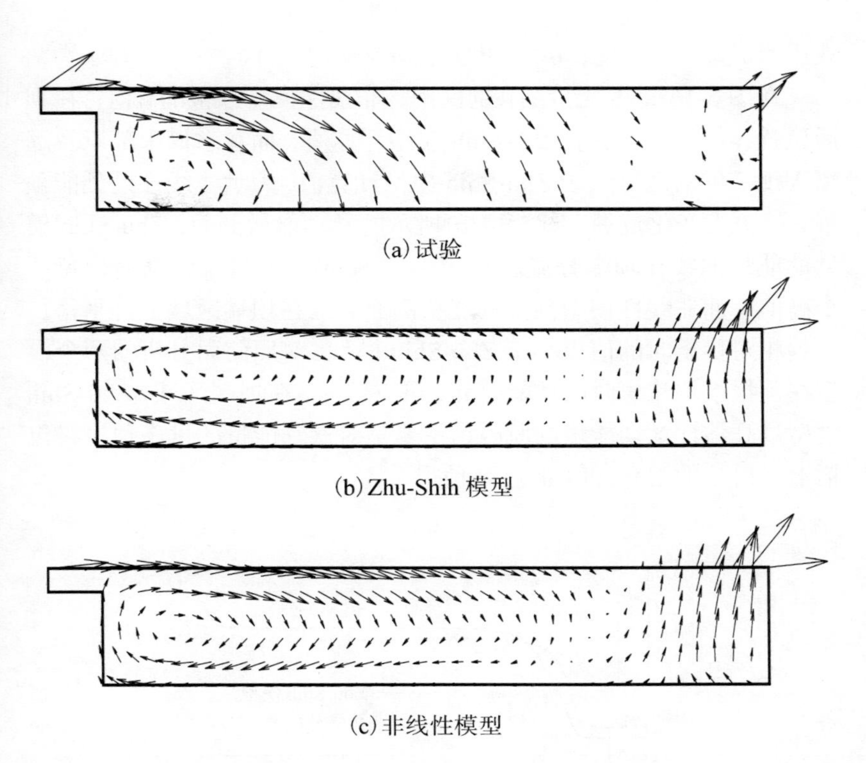

(a) 试验

(b) Zhu-Shih 模型

(c) 非线性模型

图 5-13　垂直面 u-w 流速矢量分布（工况-3，垂直面位置 y=1 cm）

通过以上两个模型的计算结果与试验的对比分析，证明所开发的三维紊流模型能够模拟丁坝(群)的绕流流态。从两个数值模型的比较结果来看，非线性模型比线性模型的预报精度要高。

非线性模型提高计算精度的原因，经分析认为是非线性紊流模型更好地反映了流动中紊动的非线性特征，从而改善了对平均流速的预报性能。由于试验无法测量紊流状态变量，不能提供与数模直接比较的基础数据，在此，仅从两个数学模型的计算结果对比，分析其预报紊流特征变量的差异以及对平均流预报结果的影响。图 5-14 所示为两模型计算的 ν_t 和 k 的无量纲剖面，剖面位置与图 5-6(a)的横向线位置相同。两个紊流变量的无量纲计算公式为：

$$\nu_t^{+}=100\cdot \nu_t / hu_m \quad k^{+}=100\cdot k / u_m^{2}$$

式中：h 为丁坝高度；u_m 为纵向平均流速。

在图 5-14(a)的无量纲 ν_t 剖面中，非线性模型预报的 ν_t 值，在坝后位置($y<20$ cm)小于 Zhu-Shih 模型计算值，而在水槽中部以及远离丁坝一侧的区域大于 Zhu-Shih 模型计算值，表示非线性模型能预报 ν_t 的更大变化范围。图 5-14(b)所示的紊动能量剖面，Zhu-Shih 模型的能量曲线在坝端分流区(y =10 ~ 20 cm)上升较快，随后保持一个高值，而非线性模型预报的能量剖面曲线在坝端区域上升平稳，达到相对稳定时的值也小于 Zhu-Shih 模型。对照前面分析的两个模型在预报平均流速时的性能差异，可以认为，在坝端区域，Zhu-Shih 模型过高估计紊动能量的原因，主要是对紊动能量的过高预报，包括上面讨论的对 ν_t 和 k 的过高预报。

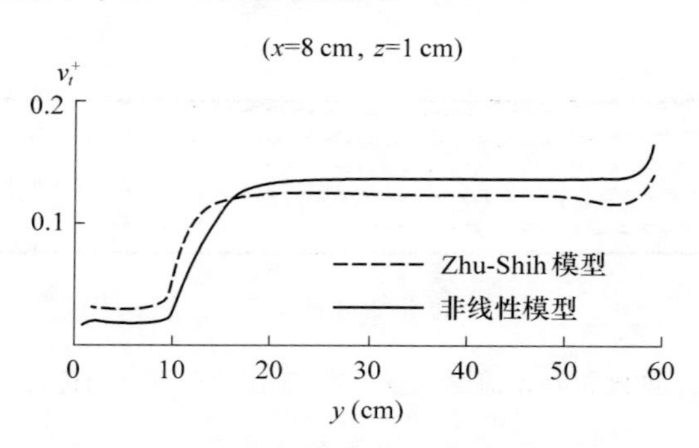

(a) 无量纲紊动黏性系数剖面

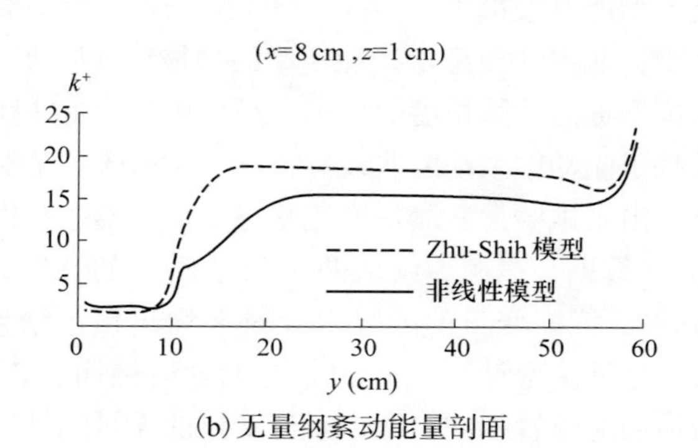

(b) 无量纲紊动能量剖面

图 5-14　无量纲紊动能量计算值

考虑到在紊流的控制方程中，紊动对平均流速的影响是通过雷诺应力梯度表示的。因此，雷诺应力的法向梯度$\partial(uu)/\partial x$，在法向速度方程中以作用力的方式反映。下面比较计算得到的无量纲雷诺应力梯度值：$gx(uu^{+})=100\cdot\partial(uu)/\partial x\cdot h/u_m^2$，结果如图 5-15 所示。从图中可以看出，正好是在坝端区域，Zhu-Shih 模型预报的雷诺应力梯度偏大，这样平均力方程中与雷诺应力对应的作用力偏大，从而造成坝端平均流流速值的偏大。

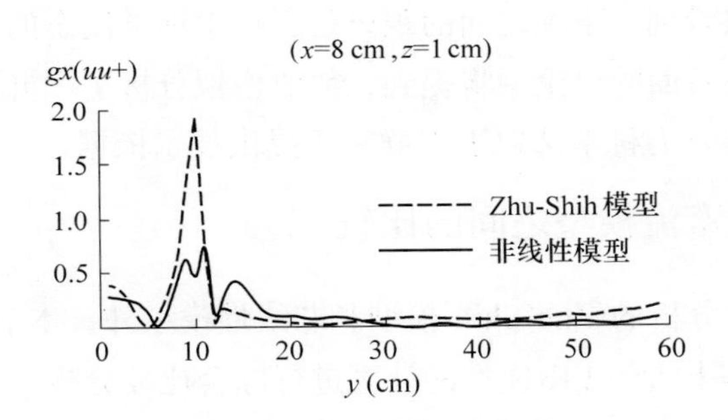

图 5-15　雷诺应力 *uu* 的梯度剖面

除 *uu* 雷诺应力分量外，进一步分析了其他雷诺应力分量的计算结果。图 5-16 比较了三维情形下六种雷诺应力分量的计算值。三个正应力在 Zhu-Shih 模型中均大于非线性模型，证明了 Zhu-Shih 将紊动能量预报得过大。

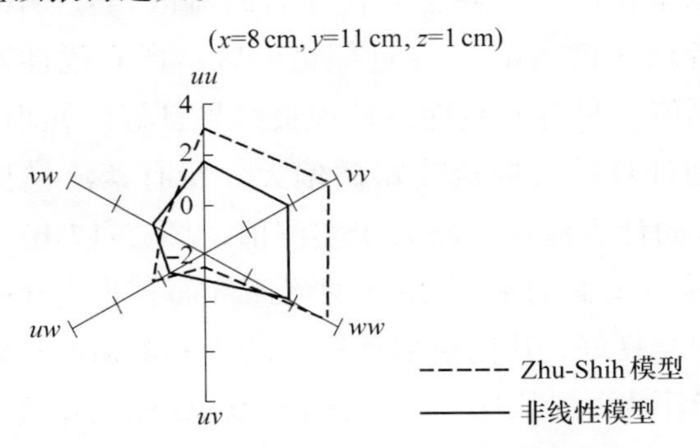

图 5-16　雷诺应力的六个应力分量计算值

由此可以认为：Zhu-Shih 模型预报的坝端平均流速过大，是因为对这一区域内的紊动能量值预报过高。前面已经提到，对于紊流模型而言，要提高对平均流的预报性能，就要对紊流特征进行精确的模拟，因为在丁坝绕流中，紊流已经成为主导性的流动特征。比较而言，非线性紊流模型能更好地预报雷诺应力及紊动能量等紊流特征量，因而提高了对紊流平均流动的预报精度。

将单一丁坝绕流与丁坝群绕流比较，丁坝群的流态更加复杂。同时也可以看到，丁坝之间的距离是影响丁坝群流态的一个重要几何因子。在后面的讨论中将提到，数值模拟分析丁坝群流动的作用之一，就是要为科学选取丁坝群间距提供技术依据。

5.3 不同紊流模型之间的比较

除上节分析的 Zhu-Shih 模型和非线性模型外，本节将标准 k-ε 模型、RNG 模型、LK 模型的计算进行综合比较分析，评价这几种紊流模型对丁坝水流的预报性能。选取单一丁坝绕流进行计算，条件如在 5.2.1 中已经讨论过的单一丁坝情形。流动的几何特征参数如图 5-1 所示。

图 5-17 为不同模型计算的两个位置上的纵向流速剖面，试验值也同时画在图中，作为比较参照。图 5-17(a)中，不同模型的预报值基本相同，差异主要在坝后回流区（y＜0.10 m）以及远侧边壁附近（y＞0.25 m）。在远侧边壁区，所有线性模型计算值都小于实测值，只有非线性模型预报结果良好。在坝后回流区，非线性模型计算的反向流速略微偏大。所有紊流模型在坝端处（y=0.15 m）的计算流速都略大于实测值。图 5-17(b)为另一高度（z=7 cm，接近水面的平面）位置的流速剖面，非线性模型计算值与实测值吻合良好，其他模型计算值高于实测值。各种线性模型之间的差异不大，仅从这一指标比较，RNG 模型略优于 LK 模型和 Zhu-Shih 模型。

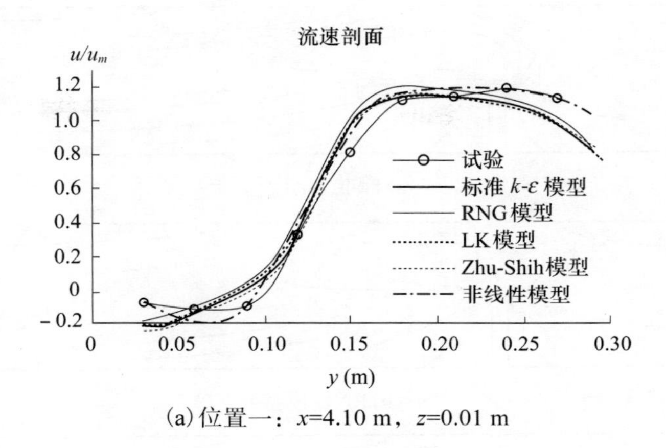

(a) 位置一：x=4.10 m，z=0.01 m

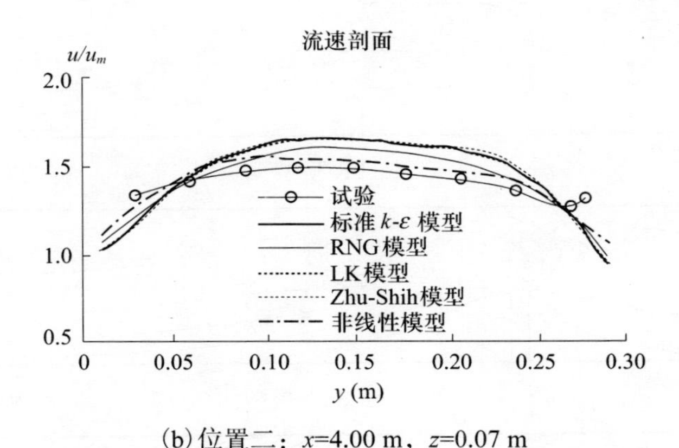

(b) 位置二：x=4.00 m，z=0.07 m

图 5-17　不同紊流模型流速剖面计算结果

图 5-18 为丁坝附近床底应力分布比较(以无量纲应力系数 $C_f^+ = \tau_b \ / 0.5\rho u_m^2 \times 10^3$ 表示)。不同模型之间的差异，主要反映在丁坝端部。对同一等应力等值线标(如 C_f^+=26)，标准 k-ε 模型的范围最大，表示其计算的床底应力最大。众所周知，标准 k-ε 的缺点之一，就是对丁坝流滞点附近的紊动能量预报过高，由此导致对床底应力计算偏高。图 5-18 也间接反映了标准 k-ε 模型对平均流强度预报过高的原因，以及其他模型对此问题的相应改善。

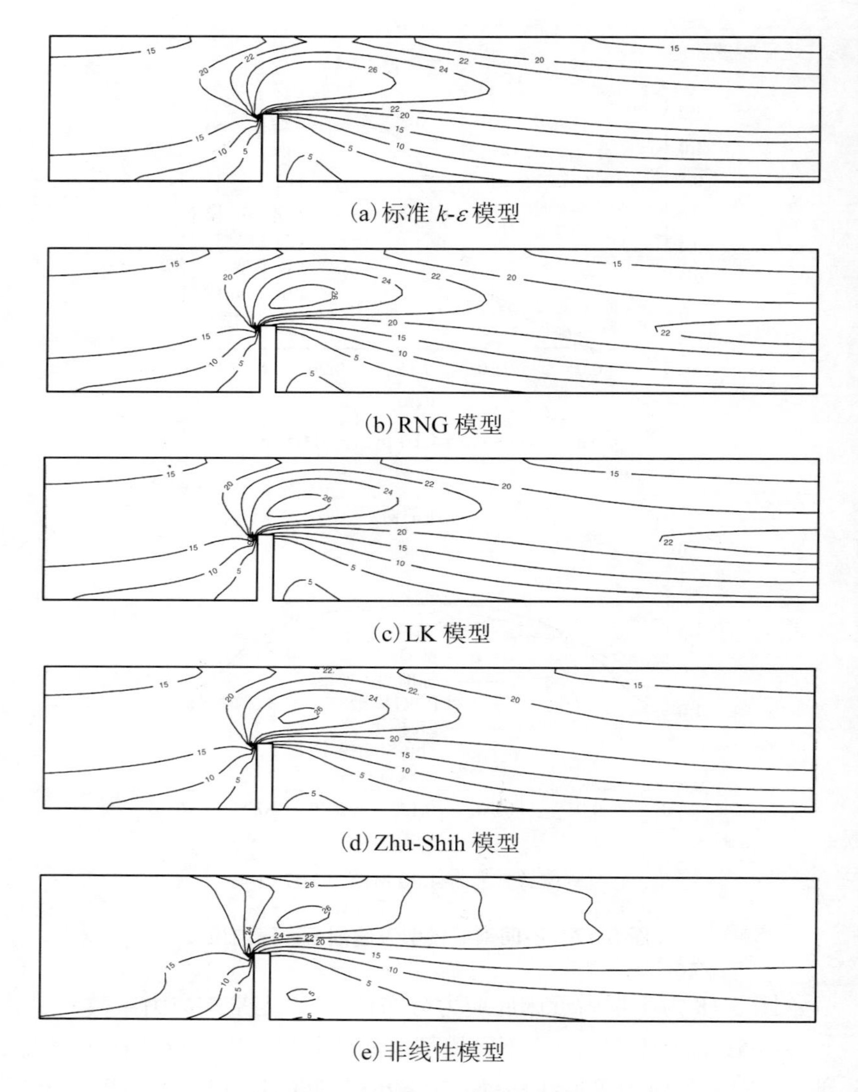

(a)标准 k-ε 模型

(b) RNG 模型

(c) LK 模型

(d) Zhu-Shih 模型

(e)非线性模型

图 5-18　丁坝附近床底应力分布

标准 k-ε 模型对紊流水平的过高预报，可以追溯到其对分离及旋转流区域涡旋黏性强度的预报。图 5-19 比较了不同紊流模型计算的近床无量纲($\nu_t^+=\nu_t\ /\ u_m h\times100$，$h$ 为丁坝高度)涡黏系数剖面，比较位置正好位于丁坝后的横断面上，离床底高度 z=1 cm)，不同模型计算的涡黏水平不同。在坝后回流区（y<0.15 m)标准 k-ε 模型的预报值最高，RNG 模型和 LK 模型的计算值较低，Zhu-Shih 模型和非线性模型的计算值最低。在坝端区域，分流流为主导流，Zhu-Shih 模型和非线性模型都预报出了由于扰动产生的高强度紊动和高涡黏系数值，从而改善了对高强度紊流的预报性能。

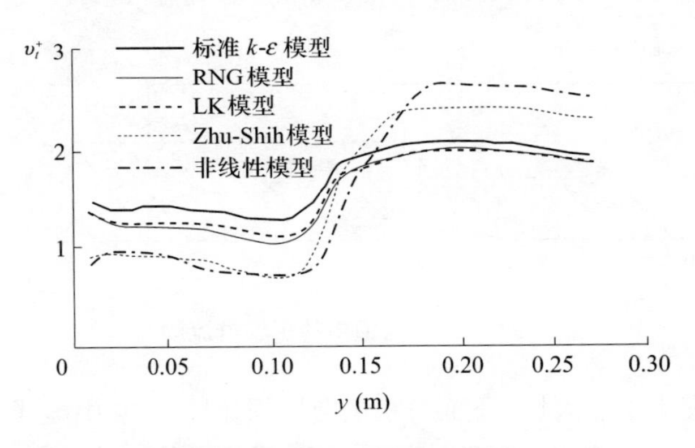

图 5-19　紊动黏性系数剖面

分析表明，在比较的几种模型之间，线性模型与非线性模型的预报性能有所差别。线性模型均在不同程度上过高预报了坝端分离流流速，其原因是对紊动强度预报精度不够，非线性模型可以改善对这一问题的预报结果，当然非线性模型增加了模拟计算的复杂程度，需要更长的计算时间。

5.4　三维流动结构与发生机制

在上述不同模型的比较之后，用其中的非线性模型，计算分析丁坝流的三维流动结构。用实际尺度的河道及丁坝进行计算模拟，丁坝群等间距布设在直线河道的右岸，间距 L=20.0 m。河道流量 Q=680.0 m^3 / s，水深 H=4.0 m，河道宽度 B=50.0 m，丁坝尺寸 2.0 m ×5.0 m ×1.0 m(横向长 L_g =5.0 m，纵向宽 2.0 m，高 1.0 m)。图 5-20 为计算区域的几何尺寸及坐标轴布置，图中虚线标出的范围是后面分析所涉及的范围。计算网格划分足够密，使计算结果不受网格疏密的影响。采用非等间距网格，在丁坝附近加大网格密度。

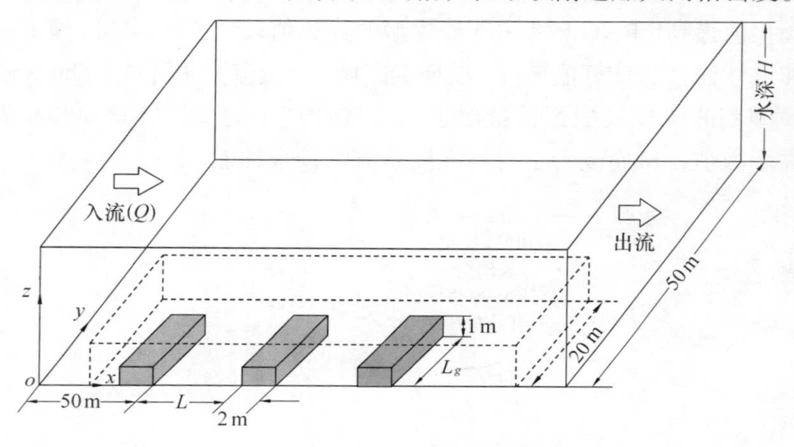

图 5-20　河道中的丁坝群流动

为突出重点区域，下面分析的范围限于图 5-20 中虚线表示的范围。图 5-21 为水平面的流速矢量分布(已用平均来流流速 u_m 无量纲化)。由图 5-21 可见，在每个丁坝后面都有回流出现，在坝端区域也都有明显的分离流。沿河道宽度方向，丁坝对水流扰动的影响范围是有限的。

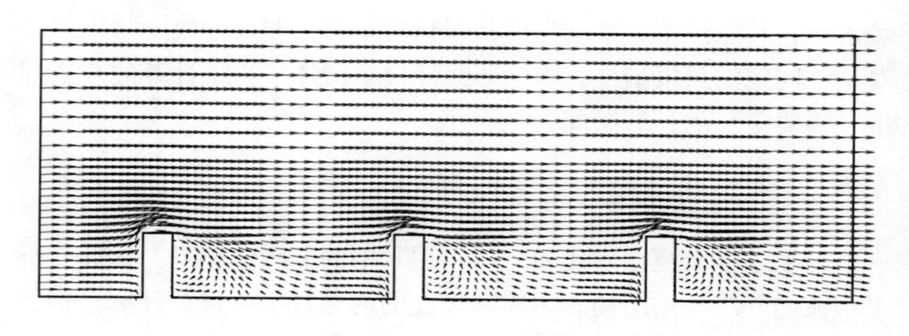

图 5-21　丁坝群绕流的近床流速分布

图 5-22 和图 5-23 为丁坝后的三维流线图和流速矢量图。三维流线图清晰地显示了丁坝后的回旋流态，坝后形成一个完整的主漩涡。

图 5-22　丁坝绕流流线图

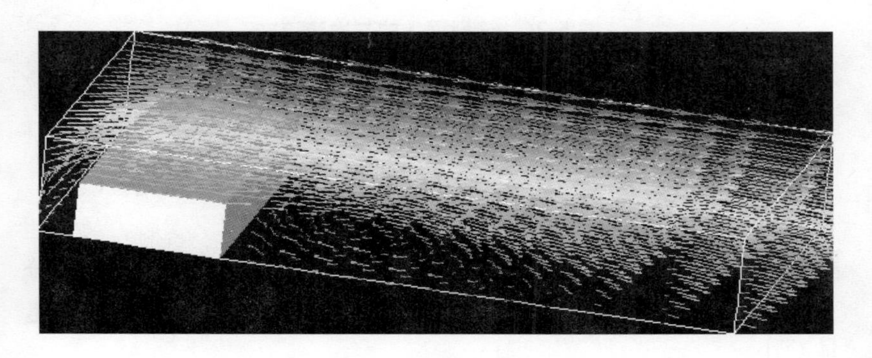

图 5-23　丁坝绕流流速矢量图

由于丁坝对水流的扰动，除了主漩涡流之外，在横断面方向还形成了二次流(如图 5-24 所示)。图 5-24 中，断面 1 穿过丁坝，断面 2 位于丁坝后的回流区域。在断面 1 上，面向来流，二次流为顺时针方向，水面附近流向指向河道中心部。二次流的分离点在丁坝顶部位置。在位于回流区的断面 2 上，如图 5-24(b)所示，顺时针方向的二次流，在河床底部的流速较大，流向河岸受边壁阻挡后，在水面附近转向。这样的二次流流态，对回流区的泥沙输移将产生影响。二次流可能将泥沙带入回流区，从而造成回流区的淤积。

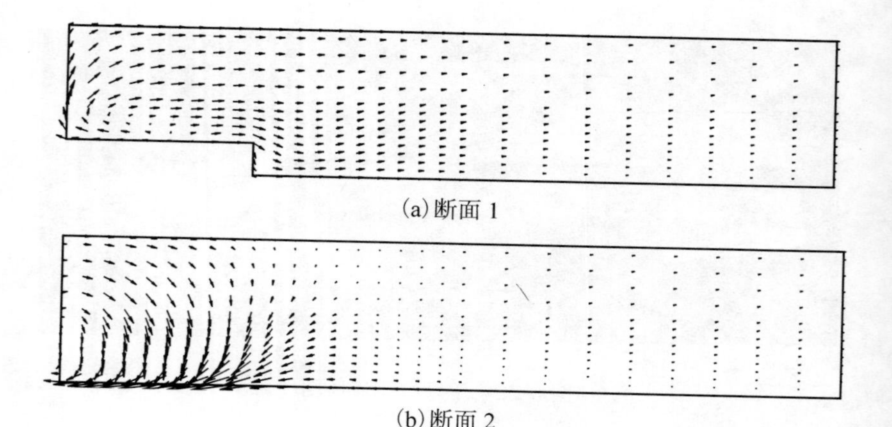

(a)断面 1

(b)断面 2

图 5-24　横断面上的二次流流态

图 5-25 讨论的是自由表面附近的压力分布形式，压力用无量纲压力系数 $C_p^+ = P / 0.5\rho u_m^2 \times 10^3$ 表示。在主流区域，压力沿纵向基本为线性下降。但在丁坝扰动的区域，线性的压力分布完全改变。在接近丁坝的上游侧，压力逐渐增大，当水流流过丁坝后，又迅速下降，导致该处出现很高的压力梯度。每个丁坝附近的水流压力分布形态有相似之处，都是接近丁坝时压力增加，流过丁坝后压力迅速减小。

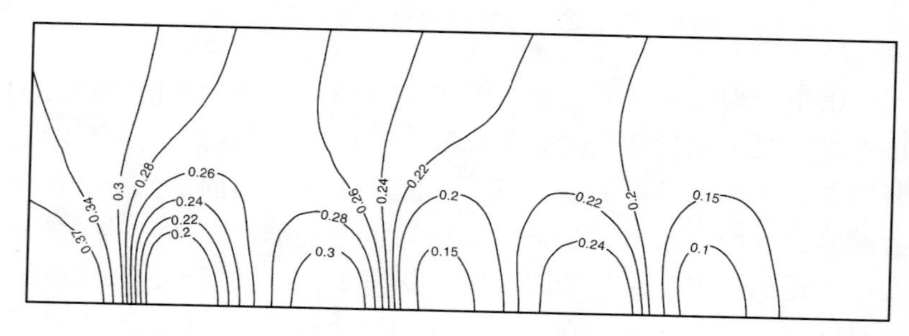

图 5-25　自由水面附近的压力分布等值线

当用刚盖假定处理自由表面的压力梯度时(丁炎刂，1993)，自由表面的压力基本可反映自由水面的高度。因此，图 5-25 所示的压力分布特性可近似反映丁坝群绕流后的自由水面变化。总体而言，丁坝群绕流会使局部区域的水位发生波动变化，丁坝前端水位抬升，过丁坝后水位下降。

图 5-26 表示的是近床平面上紊流能量的分布特性(用 $k / u_m^2 \times 100$ 的无量纲形式表示)。丁坝前端部紊动能量十分集中，后回流区能量较小。

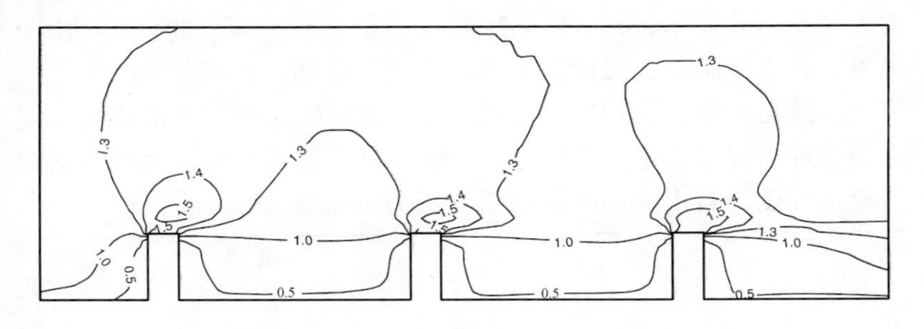

图 5-26 近床紊动能量分布等值线

河床应力分布是丁坝(群)近体水流流动分析中的一个重要方面，其应力大小与局部冲淤直接相关，而局部冲淤是修建丁坝时要考虑的重要问题之一。图 5-27 给出了丁坝附近的河床应力分布等值线，等值线分布与图 5-26 的紊动能量分布有相似之处。坝端区域应力显著增加，坝后回流区应力减小，说明应力大小与紊动能量有关。

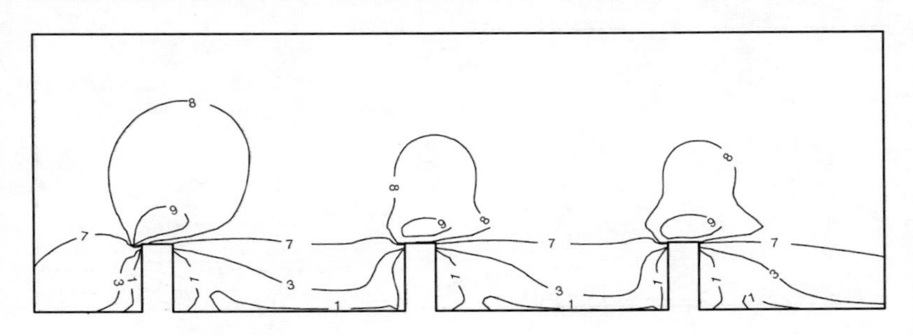

图 5-27 河床应力分布等值线

丁坝端部的应力较大，表示此处水流的冲刷力大。计算得到的河床应力分布形式与已有的实测河床地形定性上吻合(Klingman，1984)，即坝端为冲刷区，对应大的应力分布；坝后为淤积区，对应小的应力分布。

紊流模型是通过雷诺应力反映紊流运动对平均流的影响的。如果在计算区域内雷诺应力可以忽略不计,那么就没有必要采用紊流模型来预报平均流动。图 5-28 给出了$-\overline{u^2}$ 雷诺应力分量(以 $h／{u_m}^2\times10^3$ 的无量纲形式表示，h 为丁坝高度)在近河床水平面上的分布。由图可见，在丁坝附近，无论是上游侧还是下游侧，雷诺应力的梯度均较大。这意味着，在相应的区域，为正确反映丁坝紊流的影响，就必须合理地模拟雷诺应力的作用。图 5-29 为接近自由表面的雷诺应力分量梯度，自由表面附近的雷诺应力分量就比较小。

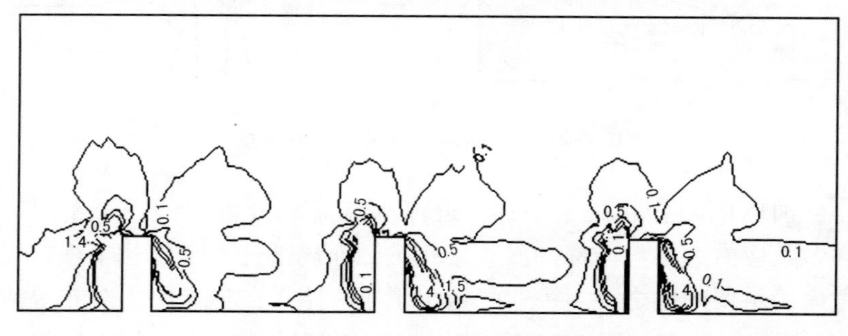

图 5-28　河床平面的正向雷诺应力梯度

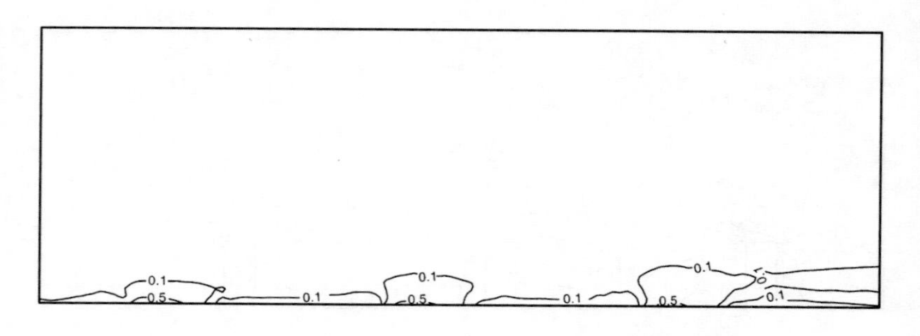

图 5-29　自由表面的正向雷诺应力梯度

紊流传输的过程是因问题的不同而不同的，即具有较强的特殊性。为讨论丁坝水流的紊流传输特性，分析以下紊动能量输运方程：

$$\underbrace{U_j \frac{\partial k}{\partial x_j}}_{\text{C-K}} - \underbrace{\frac{\partial}{\partial x_j}\left[\left(v + \frac{v_t}{\sigma_k}\right)\frac{\partial k}{\partial x_j}\right]}_{\text{DIF-k}} = Prod - \varepsilon \tag{5-1}$$

用下列方式表示紊流中的各项：

C-k =对流，DIF-k=扩散，*Prod* =紊动能量产生项，DIS-k = $-\varepsilon$ 耗散项。

图 5-30 给出了两个断面上靠近河床的紊动能量平衡关系，即紊动能量对流、扩散、生成及耗散项的平衡关系(断面 1 和断面 2 的位置与图 5-24 相同)。图中 y=0 ~ 5.0 m 的范围是丁坝所在的范围。由图 5-30(a)可见，在丁坝的坝端点，紊动能量的对流及耗散活跃，其他区域生成项与耗散项保持平衡。在丁坝后面的回流区域，如图 5-30(b)所示，紊动能量的对流、扩散、生成与耗散量级相当，紊动

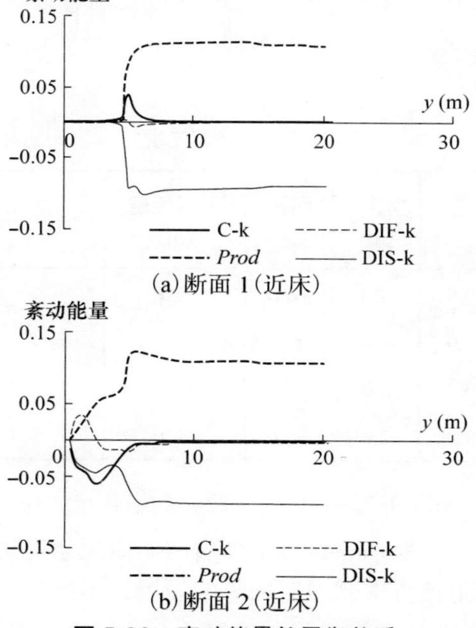

图 5-30　紊动能量的平衡关系

的对流项呈现负值，源于该区域反向流动的出现。靠近边壁处，耗散项大于对流项，反映摩擦引起的能量损失。随离边壁距离的增加，耗散项逐渐减小，在丁坝坝端区域，生成项大于耗散项，反映该区域紊流强度的加大。在整个回流区内，由于对流与扩散的作用，紊流的生成与耗散并不平衡。由此，一般在紊流模型中用涡黏系数概念假定紊流的生成与扩散平衡，但会引入一定的误差，特别是在分离流和回流特征显著的区域。

5.5 丁坝尺寸对近坝水流流动特征的影响

对丁坝设计工作而言，丁坝伸入河道的长度和丁坝之间的间距，是两个需要考虑的重要参数。了解这些参数的变化对丁坝流动特征，如局部流态、应力分布、局部冲刷和淤积等的影响，对丁坝的实际应用非常重要。由于物理模型在成本和时间上的限制，相对而言，数值模型是分析参数变化对流动特性影响的更有效技术工具。本节重点分析丁坝长度以及间距的变化对近坝水流流动的影响。对不同的参数变化设计了四种计算工况，如表 5-1 所示。计算区域如图 5-20 所示。

表 5-1　计算工况

计算工况	流量 (m^3 / s)	水深 (m)	间距 (m)	丁坝长度 (m)	间距 / 长度	计算网格点
1	680.0	4.0	10.0	5.0	2	129×57×21
2	680.0	4.0	5.0	5.0	1	109×57×21
3	680.0	4.0	20.0	10.0	2	149×57×21
4	340.0	2.0	10.0	5.0	2	129×57×21

图 5-31 为计算所得四种工况下，近床平面的流态。当丁坝间距减小时(从工况-1 到工况-2)，丁坝后的回流流态发生变化，间距太小时，丁坝的阻挡将限制坝后回流的发展，不能形成完整的回流漩涡。增加丁坝间距，回流漩涡尺度随之加大，再附着点也移向下游。

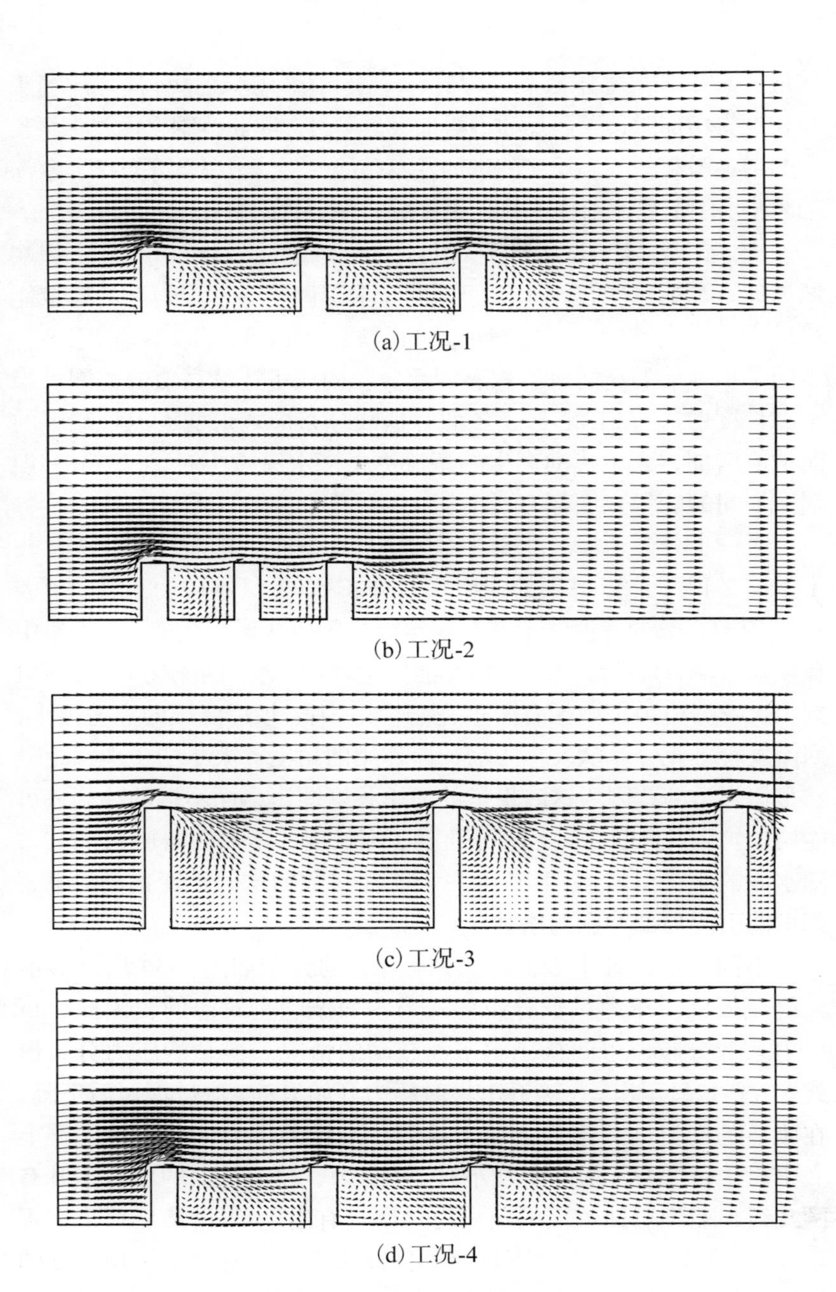

(a) 工况-1

(b) 工况-2

(c) 工况-3

(d) 工况-4

图 5-31　近床平面流速分布

对应一种丁坝尺寸，漩涡尺寸有一个最大值。达到这种尺寸后当丁坝长度再增加时，漩涡尺寸不再加大。不过，在此范围之内，丁坝长度的增加引起的漩涡尺度的增加并不是线性的。工况-4 条件下，水深的减小所引起的水流流态变化不十分明显，再附着长度会有所增加。

图 5-32 比较了近床水平面上无量纲紊动能量分布等值线。坝端区域的紊动能量明显小于坝间区域。上游侧第一丁坝附近的稳定能量最大，是全域中紊动能量最大的区域。如果间距减小(工况-2)，不同丁坝坝端的高能量区域有所重叠，构成了连续高值的范围。当丁坝长度增加时(工况-3)，虽然等值线分布形式未变，但坝端区的能量值增加，表示扰动产生的紊流更强。水深减小时(工况-4)，坝端及坝间的能量强度都有所增加。

进一步分析丁坝尺寸变化对床底应力分布的影响，图 5-33 比较了不同条件下计算得到的河床应力分布(以无量纲应力系数 C_f^+表示)。应力系数的等值线形态与稳定能量等值线形态相似，应力集中在坝端区域，直接导致该区域可能发生冲刷。坝间距较小时(工况-1到工况-2)，应力集中区有所重叠，连成一片。坝后区域的应力很小，回流发育不充分。从发挥丁坝护岸作用的角度，太小的丁坝间距显然是不合适的，因为这时保护的河岸长度缩短，而坝端的冲刷还可能增加。丁坝附近的河床应力随着丁坝长度的增加而增加(工况-3)，随水深的减少也增加(工况-4)。表明在参数的这两种变化趋势下，都可能引起局部冲刷的增强。

不同参数条件下表面压力系数 C_p^+的分布如图 5-34 所示。前面已经提到，压力系数分布形式与水面波动是对应的，因此分析压力系数分布，可间接了解水面波动的情况。典型的压力分布形式(工况-1)显示出，在接近丁坝时压力开始升高，流过坝顶后下降，在坝后的回流区，出现负压力梯度，这样的压力分布特性已在上文中讨论过。当丁坝间距减小时(工况-2)，坝迎流面的压力抬升有所减缓，而坝后回流区的负压力梯度没有出现(下游最后一个丁坝除外)，这表明在此条件下坝间的回流未充分发育。随丁坝长度的增加，坝前的压力抬升和坝后的负压力梯度都有所增加(工况-3)，

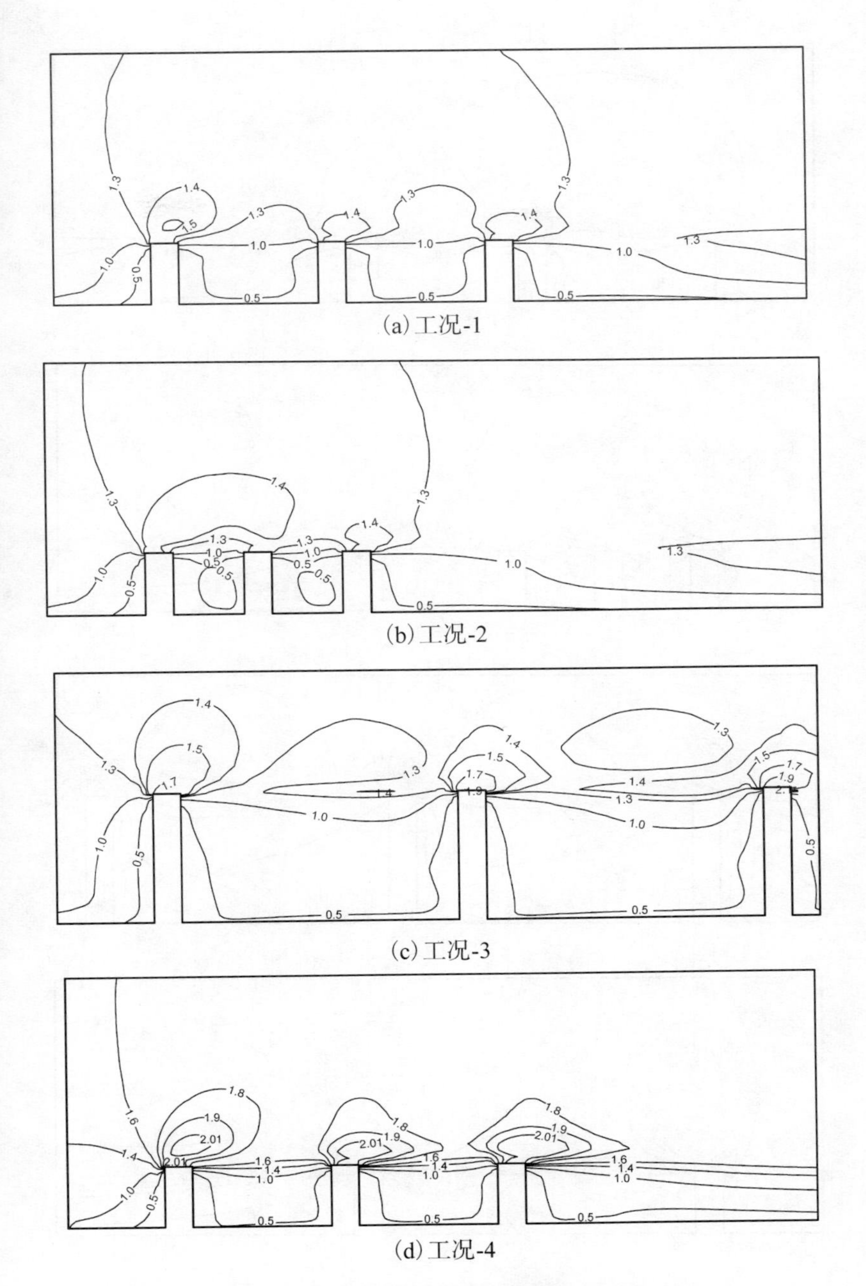

(a) 工况-1

(b) 工况-2

(c) 工况-3

(d) 工况-4

图 5-32　近床平面无量纲紊动能量分布

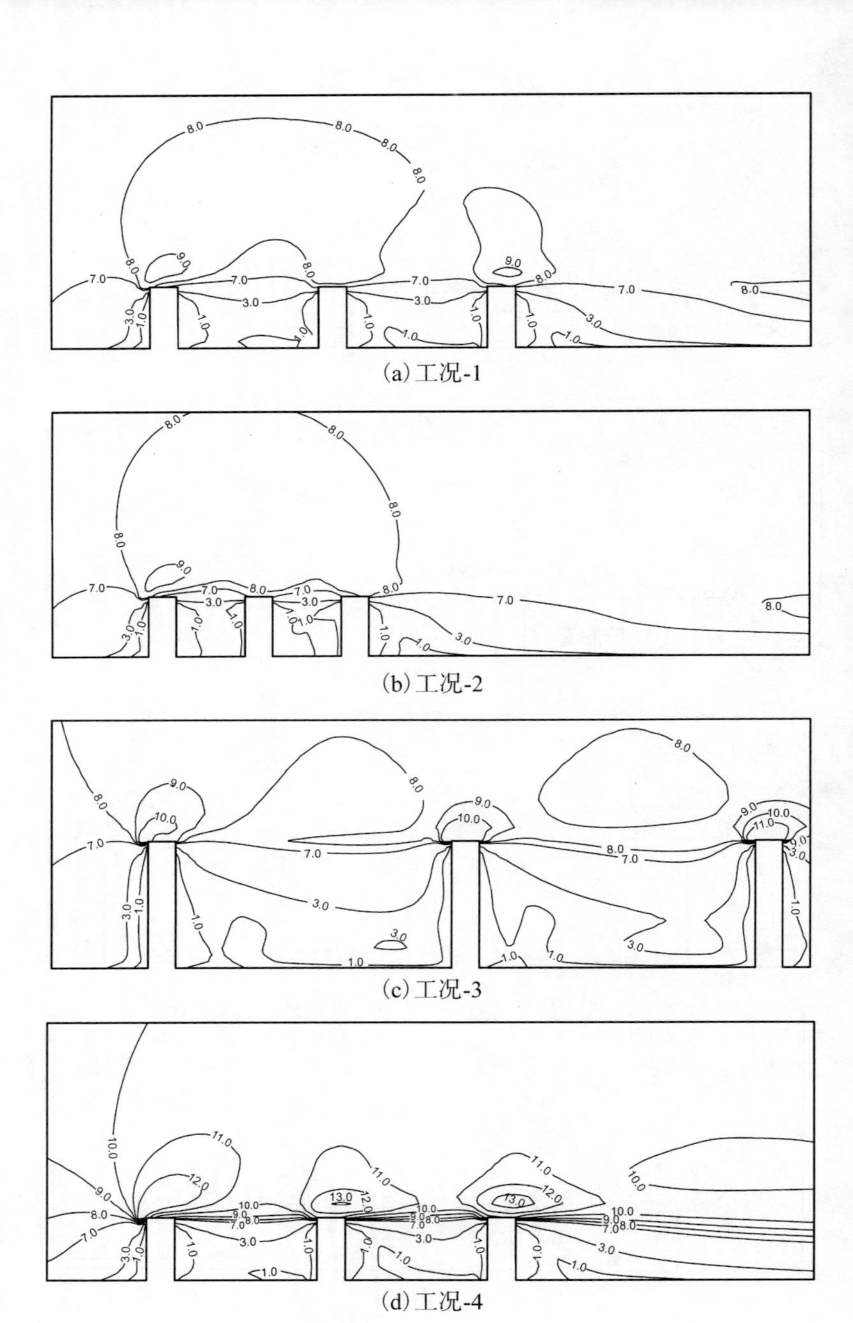

(a) 工况-1

(b) 工况-2

(c) 工况-3

(d) 工况-4

图 5-33　河床应力分布

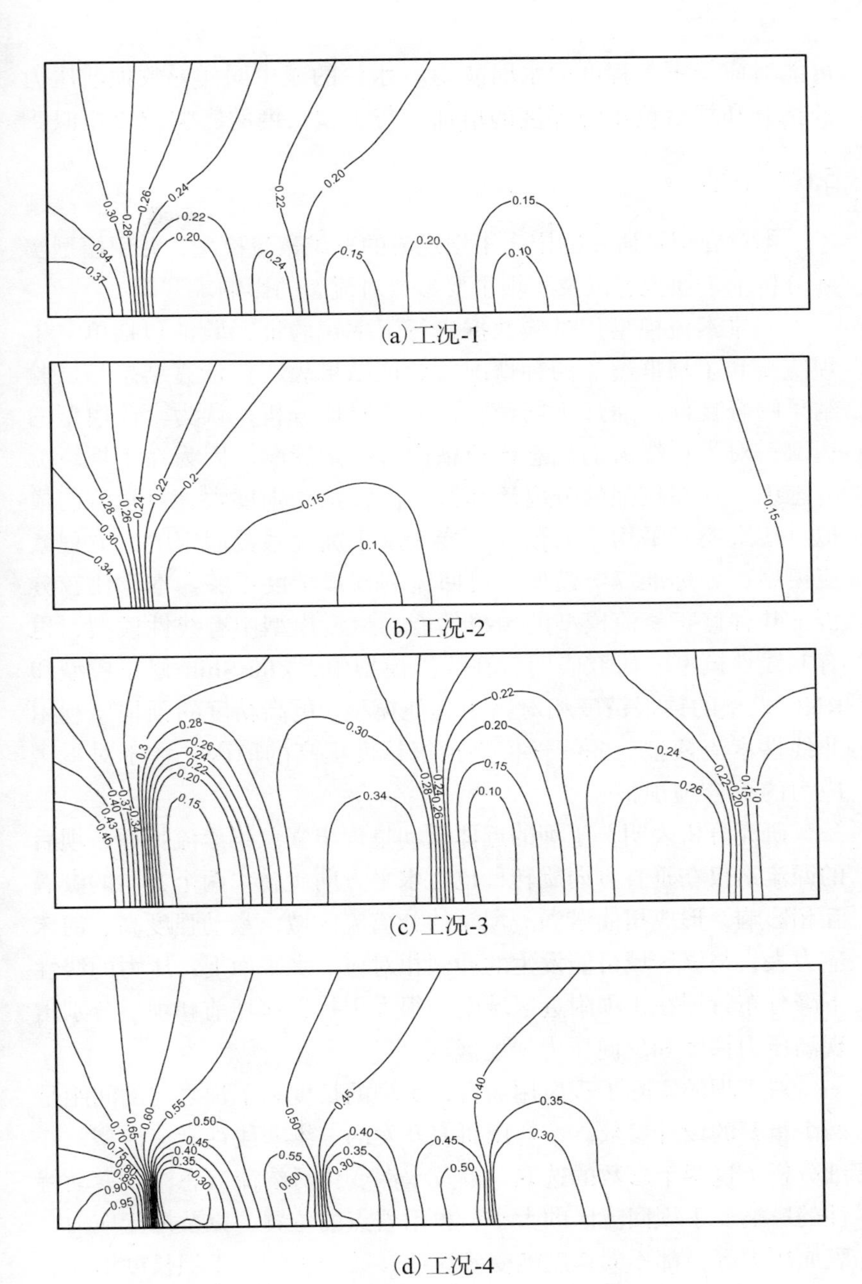

(a) 工况-1

(b) 工况-2

(c) 工况-3

(d) 工况-4

图 5-34 表面压力系数分布

可能对应于更大程度的水面波动。水深的减少同样导致坝前压力的抬升和坝后负压力梯度的增加，与丁坝长度的影响效应相似。

5.6 小结

本章介绍了研发的定床丁坝绕流的三维紊流模型，并用模型实际分析了丁坝流态以及丁坝主要参数对流态的影响。

三维紊流模型用试验数据进行了率定验证，验证包括单一丁坝绕流和丁坝群绕流两种情况。验证结果表明，计算结果与试验结果吻合良好。通过不同紊流模型的对比分析，认为紊流模型的选取，对丁坝绕流的流态模拟精度有一定影响。因为在丁坝绕流流态中，存在较强的分离流和漩涡流，紊动强度大，对紊流的模拟直接影响对平均流的预报性能。基于黏性系数假定的二方程紊流模型，如标准 k-ε 模型，对回流的预报精度不够。本章比较分析了几种修正紊流模型的预报性能，紊流模型中有线性模型，也有非线性模型。研究表明，在线性模型中，Zhu-Shih 修正模型和 RNG 模型的预报精度相对高于其他模型。更高精度的预报要利用非线性紊流模型。非线性模型预报精度提高的原因，在于对雷诺应力的更合理预报。

研究分析表明，丁坝的近体流动呈现出强三维紊流特征，坝后的回流不仅在垂直方向旋转，也在水平方向旋转。两个方向的漩涡互相影响，形成扭曲漩涡。坝端的分离流区域，紊动强度高，河床应力大，与该区域可能发生的冲刷相对应。水平面上，压力的线性下降分布特征在丁坝附近区域受到很大干扰，在坝前和坝后分别出现高压力梯度和反向压力梯度区域。

对丁坝的实际工程应用而言，丁坝的长度和丁坝之间的间距是两个重要的设计参数。本章用研究开发的三维非线性紊流模型，详细分析了这两个参数的选取，以及水深变化对绕流流态以及紊动特性的影响。丁坝回流区的大小、再附着点的位置，以及河床应力、表面压力等，都不同程度地受到这些参数的影响。丁坝长度增加、水深减小，都使得坝端应力增加，压力梯度变化加大。如果丁坝间距太小，将限制坝后回流的形成，并降低丁坝保护河岸的长度范围。从工程应用的角度看，这样的布设方式显然不是经济合理的。数值模拟丁坝复杂的三维紊流流态，对分析有关丁坝尺寸及布置方式对水流的影响从而指导有关设计工作，具有重要的实际应用指导意义。

6　丁坝动床流动的三维数值分析

6.1　引言

紊流条件下的河床运动在实际工程问题中比较常见，丁坝的动床流动即是其中的一个典型例子。丁坝河道的现场勘测表明，丁坝或丁坝类的结构体附近，将产生明显的河床冲淤变化。对丁坝的结构设计而言，冲刷深度的预测非常重要，因为必须将结构体的地基置于冲刷坑之下，以保证结构的稳定安全。

预报丁坝附近河床的冲淤变化，物理模型试验是可采用的方法之一。物理模型试验的缺点，是经费高、耗时、存在比尺效应，对一些复杂的实际问题难以处理。随着计算技术的不断发展，用数值模拟的方法预报丁坝以及类似结构体如桥墩等附近的冲淤变化，已经得到了越来越多的应用，取得了良好的效果。Michiue 和 Hinokidani(1992)研究开发了丁坝附近河床变形的二维计算模型，计算得到的丁坝附近的河床冲淤变化与实测数据吻合良好。Olsen 和 Meleaen(1993)采用三维非恒定流模型计算了圆柱体周边的流场，用近床推移质连续方程计算圆柱附近河床的冲刷深度。Biglari 和 Sturm (1998)用二维 k-ε 紊流模型计算了桥墩附近的河床变形，并建立了桥墩前端最大流速与冲刷深度的经验关系式。其他的一些数值模拟研究包括 Ushijima 和 Tanaka(1995) , Fukuoka 等(1990)的工作。

数值模拟丁坝动床流动的难点之一，在于冲淤之后河床地形不规则变化引起的动边界跟踪问题，包括对自由水面的动态跟踪，地形和自由水面因冲淤的动态发生发展而变化，并反过来影响绕流的流动特性。

在第五章中，已经建立了定床条件下的丁坝绕流三维模型。本章在此基础上，应用σ坐标变换技术，处理在垂直方向上的河床变形和自由水面波动，建立可以跟踪地形和水面变化的三维水流模型，并进行模型的验证计算。建立了推移质河床变形泥沙模型并与三维水流模型耦合，计算丁坝附近的流场及泥沙冲淤变化。

6.2 σ坐标变换

σ坐标变换最初是由 Philips (1957)提出的。由于其概念简单、计算效率高，很快在数值计算中得到应用。该技术的主要优点，是它能够同时处理地形和自由水面的变化，这对提高垂直方向上的计算精度十分有效，同时又不会过多增加模型的难度和计算时间。

目前，σ坐标变换技术在河流、海湾等水域中的三维模拟中应用十分广泛，用以模拟垂直方向上的不规则边界。在应用过程中，针对实际问题的特点，又对σ坐标变换技术在不同方面进行了改进。Stelling 等(1994)探讨了用σ坐标变换计算深海陆坡处的水平流速梯度，取得了令人满意的效果。Li 和 Zhang (1996)将σ坐标变换用在他们的半隐式三维水动力模型中计算海湾环流，分析涡黏性、地形以及波流对流动特性的影响，通过对比分析，证明了该技术在实际应用中的有效性。Huang 和 Spaulding (1995)在研究三维海湾环流和水质时，将σ坐标变换改进，通过代数变换得到一种新的γ坐标变换，通过三维对比模拟分析，认为改进后的γ坐标变换对模拟浅层大水体流动的精度更高。

σ坐标变换的基本思路是：将垂直方向上的水深分成相同数量的若干层，这样可以通过渐变的方式反映地形和自由水面的起伏变化，避免了采用笛卡儿坐标时的阶梯状边界。

6.2.1 坐标变换

依据变化法则，将直线坐标中的物理区域(x，y，z)转化为一般曲线坐标的计算区域(ξ，γ，η)，变换差分算子可表示为：

$$\left.\begin{aligned}\frac{\partial}{\partial x}&=\xi_x\frac{\partial}{\partial\xi}+\gamma_x\frac{\partial}{\partial\gamma}+\eta_x\frac{\partial}{\partial\eta}\\\frac{\partial}{\partial y}&=\xi_y\frac{\partial}{\partial\xi}+\gamma_y\frac{\partial}{\partial\gamma}+\eta_y\frac{\partial}{\partial\eta}\\\frac{\partial}{\partial z}&=\xi_z\frac{\partial}{\partial\xi}+\gamma_z\frac{\partial}{\partial\gamma}+\eta_z\frac{\partial}{\partial\eta}\end{aligned}\right\}\tag{6-1}$$

其中：

$$\left.\begin{aligned}
&\xi_x=\frac{1}{J}(y_\gamma z_\eta-z_\gamma y_\eta) \quad \xi_y=\frac{1}{J}(-x_\gamma z_\eta+z_\gamma x_\eta) \quad \xi_z=\frac{1}{J}(x_\gamma y_\eta-y_\gamma x_\eta)\\
&\gamma_x=\frac{1}{J}(-y_\xi z_\eta+z_\xi y_\eta) \quad \gamma_y=\frac{1}{J}(x_\xi z_\eta-z_\xi x_\eta) \quad \gamma_z=\frac{1}{J}(-x_\xi y_\eta+x_\eta y_\xi)\\
&\eta_x=\frac{1}{J}(-y_\xi z_\gamma-z_\xi y_\gamma) \quad \eta_x=\frac{1}{J}(-x_\xi z_\gamma+z_\xi x_\gamma) \quad \eta_z=\frac{1}{J}(x_\xi y_\gamma-y_\xi x_\gamma)
\end{aligned}\right\} \quad (6\text{-}2)$$

Jacobian 矩阵 J：

$$J=x_\xi(y_\gamma z_\eta-y_\eta z_\gamma)-x_\gamma(y_\xi z_\eta-y_\eta z_\xi)+x_\eta(y_\xi z_\gamma-y_\gamma z_\xi) \quad (6\text{-}3)$$

其他的转换系数表达式:

$$\left.\begin{aligned}
&g_{11}=\xi_x^2+\xi_y^2+\xi_z^2\\
&g_{22}=\gamma_x^2+\gamma_y^2+\gamma_z^2\\
&g_{33}=\eta_x^2+\eta_y^2+\eta_z^2\\
&g_{12}=g_{21}=\xi_x\gamma_x+\xi_y\gamma_y+\xi_z\gamma_z\\
&g_{13}=g_{31}=\xi_x\eta_x+\xi_y\eta_y+\xi_z\eta_z\\
&g_{23}=g_{32}=\eta_x\gamma_x+\eta_y\gamma_y+\eta_z\gamma_z
\end{aligned}\right\} \quad (6\text{-}4)$$

6.2.2 一般坐标系中的控制方程

以(u, v, w)表示笛卡儿坐标系中计算区域(x, y, z)的流速场，(U, V, W)表示一般坐标系中计算区域(ξ, γ, η)的流速场。

区域(x, y, z)中的连续方程可以表示为以下一般形式：

$$\left.\begin{aligned}
&\frac{\partial u_j}{\partial x_j}=0\\
&\frac{\partial}{\partial x_j}\left(u_j\phi-\Gamma_\phi\frac{\partial\phi}{\partial x_j}\right)=S_\phi
\end{aligned}\right\} \quad (6\text{-}5)$$

式中：$\phi=(u, v, w, k, \varepsilon)$，表示$(x, y, z)$中的独立计算变量。

在一般坐标系中，对应区间(x, y, z)的区间(ξ, γ, η)的基本方程可变换为如下形式：

$$\left.\begin{aligned}&\frac{\partial(JU_i)}{\partial\xi_i}=0\\&\frac{\partial}{\partial\xi_j}(JU_j\phi-\Gamma_\phi Jg_{ij}\frac{\partial\phi}{\partial\xi_i})=JS_\phi\end{aligned}\right\}\tag{6-6}$$

式中：U_i（$i=1$，2，3）为变换速度，定义为：

$$\left.\begin{aligned}U&=\xi_x u+\xi_y v+\xi_z w\\V&=\gamma_x u+\gamma_y v+\gamma_z w\\W&=\eta_x u+\eta_y v+\eta_z w\end{aligned}\right\}\tag{6-7}$$

S_ϕ 为变量ϕ的源项。

6.2.3 σ坐标变换

σ坐标变换用于解决不规则地形和自由水面变化的不规则边界问题。在笛卡儿坐标系(x,y,z)中(如图 6-1 所示)，水面表示为$z=Z_s(x,y)$，床底表示为$z=Z_b(x,y)$，引入σ坐标变换函数式(6-8)，可将物理区域(x,y,z)变换为计算区域(ξ,γ,η)：

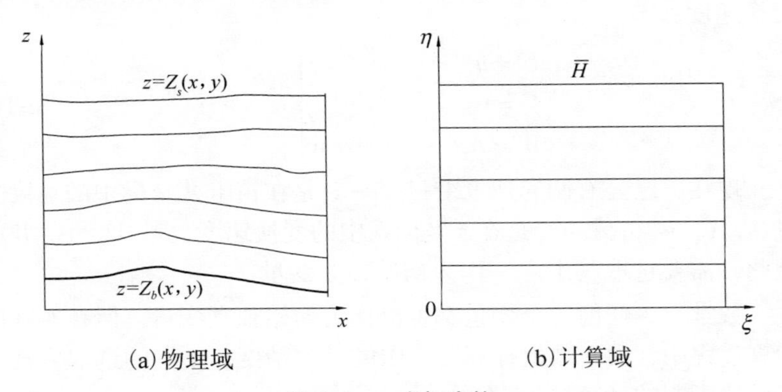

(a)物理域　　(b)计算域

图 6-1　σ坐标变换

$$\left.\begin{aligned}\xi&=x\\\gamma&=y\\\eta&=\overline{H}\frac{z-Z_b}{h}\end{aligned}\right\}\tag{6-8}$$

式中：$Z_b(x,y)$为河床高程；$Z_s(x,y)$为自由水面高度；$H(x,y)=Z_s-Z_b$，表示水深；$\overline{H}$ 为坐标转换上限。

用坐标转换的公式(6-2)～公式(6-4)，各转换系数及 Jacobian 矩阵为：

$$\left.\begin{aligned}
&\xi_x=1 \quad \gamma_x=0 \quad \eta_x=-\frac{\overline{H}}{h}\frac{\partial Z_b}{\partial x}-\frac{\eta}{h}\frac{\partial h}{\partial x}\\
&\xi_y=0 \quad \gamma_y=1 \quad \eta_y=-\frac{\overline{H}}{h}\frac{\partial Z_b}{\partial y}-\frac{\eta}{h}\frac{\partial h}{\partial y}\\
&\xi_z=0 \quad \gamma_z=0 \quad \eta_z=\frac{\overline{H}}{h}\\
&g_{11}=1 \quad g_{22}=1 \quad g_{33}=\eta_x^2+\eta_y^2+\eta_z^2\\
&g_{12}=g_{21}=0\\
&g_{13}=g_{31}=\eta_x\\
&g_{23}=g_{32}=\eta_y\\
&J=h/\overline{H}
\end{aligned}\right\} \tag{6-9}$$

变换速度：

$$\left.\begin{aligned}
&U=u\\
&V=v\\
&W=\eta_x u+\eta_y v+\eta_z w
\end{aligned}\right\} \tag{6-10}$$

现在，已经有两套速度变量，一套是在笛卡儿坐标中的速度变量(u, v, w)，另一套是在σ坐标系中的变换速度变量(U, V, W)，至此，需要选取其中之一作为初始独立变量。

数学上，任何一个变量都可以作为初始独立变量。但在实际的计算过程中，由于数值计算时有限的计算精度，不同的选取方式可能导致不同的计算结果。

Shyy(1994)在其研究中，详细讨论了有关初始独立变量的选取问题，提出初始独立计算变量的选取原则之一，是在有限体积法的计算框架之中，保持控制方程的守恒性。基于这一点，进一步的数值分析表明，如果采用变换速度作为初始独立计算变量的话，动量方程的守恒性不能得到保证，因为动量的线性特征只能在直线变换中保持不变，对曲线变换而言不能保证。因此，变换速度变量在很大程度上将受到计算网格划分方式的影响，即它们对网格的变形比较敏感。不过对连续方程而言，无论是用笛卡儿速度变量，还是用变换速度变量，方程的守恒性都可以得到保证。因此，综合分析认为，对连续方程采用笛卡儿速度变量，对动量方程采用变换速度变量，是一种平衡性的选择。本文中即采用了这样的变量选取方式。

6.2.4 方程离散

(ξ, γ, η) 计算域内的一般形式方程可以表示为：

$$\begin{aligned}&\frac{\partial}{\partial \xi}(JU\phi - \Gamma_\phi J(g_{11}\frac{\partial \phi}{\partial \xi} + g_{13}\frac{\partial \phi}{\partial \eta}))\\&+\frac{\partial}{\partial \gamma}(JV\phi - \Gamma_\phi J(g_{22}\frac{\partial \phi}{\partial \gamma} + g_{23}\frac{\partial \phi}{\partial \eta}))\\&+\frac{\partial}{\partial \eta}(JW\phi - \Gamma_\phi J(g_{31}\frac{\partial \phi}{\partial \xi} + g_{32}\frac{\partial \phi}{\partial \gamma} + g_{33}\frac{\partial \phi}{\partial \eta})) = JS_\phi \qquad (6\text{-}11)\end{aligned}$$

式中：$\phi = (u, v, w, k, \varepsilon)$，$S_\phi$ 为源项。采用交错网格的布置方式，以二维情形为例，如图 6-2 所示，对方程(6-11)进行离散。

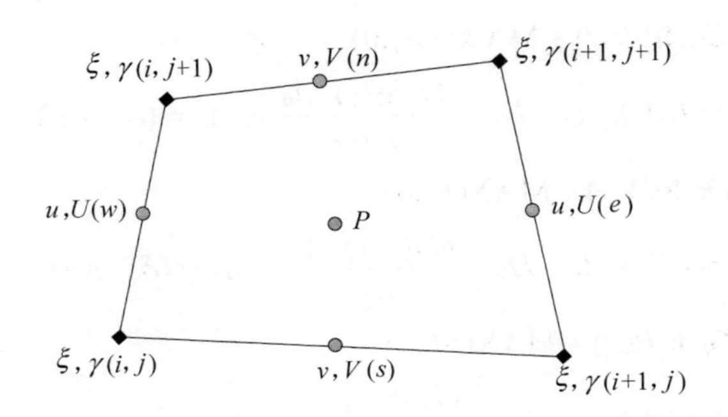

图 6-2 一般坐标系中的交错网格布置方式

在控制体积 $\delta V = \delta\xi \cdot \delta\gamma \cdot \delta\eta$ 内，对方程(6-11)积分，通过控制体界面在 i 方向的通量表示为：

$$FL_i = JU_i\phi - \Gamma_\phi J g_{ii}\frac{\partial \phi}{\partial \xi_i} \qquad (6\text{-}12)$$

用前面已经介绍过的幂函数公式，近似计算界面通量，如对东

侧界面 e 有：

$$\left.\begin{aligned}&FL_eA_e = F_e\phi_p + \{D_eA(|Pe_e|) + \mathrm{MAX}(-F_e, 0)\}(\phi_p - \phi_E)\\&A(|Pe_e|) = \mathrm{MAX}(0, (1-0.1|P_e|)^5)\\&P_e = F_e / D_e \quad F_e = (JU)_eA_e \qquad D_e = \frac{(\Gamma Jg_{11})_eA_e}{\delta\xi_{Ep}}\end{aligned}\right\} \tag{6-13}$$

其他方向的界面通量采用类似的计算方式。整理各方程，可得到一般形式的离散方程为：

$$A_P\phi_P = A_E\phi_E + A_W\phi_W + A_N\phi_N + A_S\phi_S + A_T\phi_T + A_B\phi_B + b + JS_\phi \tag{6-14}$$

方程系数：

$$\left.\begin{aligned}&A_E = D_eA(|Pe_e|) + \mathrm{MAX}(-F_e,0)\\&\quad F_e = (JU)_eA_e \quad D_e = \frac{(\Gamma Jg_{11})_eA_e}{\delta\xi_{EP}} \quad A_e = (\delta\xi\cdot\delta\gamma)_e\\&A_W = D_wA(|Pe_w|) + \mathrm{MAX}(F_w,0)\\&\quad F_w = (JU)_wA_w \quad D_w = \frac{(\Gamma Jg_{11})_wA_w}{\delta\xi_{PW}} \quad A_w = (\delta\xi\cdot\delta\gamma)_w\\&A_N = D_nA(|Pe_n|) + \mathrm{MAX}(-F_n,0)\\&\quad F_n = (JV)_nA_n \quad D_n = \frac{(\Gamma Jg_{22})_nA_n}{\delta\gamma_{NP}} \quad A_n = (\delta\xi\cdot\delta\eta)_n\\&A_S = D_sA(|Pe_s|) + \mathrm{MAX}(F_s,0)\\&\quad F_s = (JV)_sA_s \quad D_s = \frac{(\Gamma Jg_{22})_sA_s}{\delta\gamma_{PS}} \quad A_s = (\delta\xi\cdot\delta\eta)_s\\&A_T = D_tA(|Pe_t|) + \mathrm{MAX}(-F_t,0)\\&\quad F_t = (JW)_tA_t \quad D_t = \frac{(\Gamma Jg_{33})_tA_t}{\delta\eta_{TP}} \quad A_t = (\delta\xi\cdot\delta\gamma)_t\\&A_B = D_bA(|Pe_b|) + \mathrm{MAX}(F_b,0)\\&\quad F_b = (JW)_bA_b \quad D_b = \frac{(\Gamma Jg_{33})_bA_b}{\delta\eta_{PB}} \quad A_b = (\delta\xi\cdot\delta\gamma)_b\\&A_P = A_E + A_W + A_N + A_S + A_T + A_B\end{aligned}\right\} \tag{6-15}$$

由于坐标变换产生新的系数 b，其表达式为：

$$b=\frac{1}{4}\{(\delta\gamma\cdot\Gamma Jg_{13})_e(\phi_{TE}-\phi_{BE})-(\delta\gamma\cdot\Gamma Jg_{13})_w(\phi_{TW}-\phi_{BW})$$
$$+(\delta\xi\cdot\Gamma Jg_{23})_n(\phi_{TN}-\phi_{BN})-(\delta\xi\cdot\Gamma Jg_{23})_s(\phi_{TS}-\phi_{BS})$$
$$+(\delta\gamma\cdot\Gamma Jg_{31})_t(\phi_{ET}-\phi_{WT})-(\delta\gamma\cdot\Gamma Jg_{31})_b(\phi_{EB}-\phi_{WB})$$
$$+(\delta\xi\cdot\Gamma Jg_{32})_t(\phi_{NT}-\phi_{ST})-(\delta\xi\cdot\Gamma Jg_{32})_b(\phi_{NB}-\phi_{SB})\}\tag{6-16}$$

方程(6-11)中的源项转换为一般坐标系(ξ，γ，η)中，表示为以下几个动量方程：

(1) u 的动量方程：

$$\phi=u\quad \Gamma=\nu+\nu_t$$

$$S_u(\xi,\gamma,\eta)=-\frac{1}{\rho}(\frac{\partial P}{\partial\xi}+\eta_x\frac{\partial P}{\partial\eta})$$
$$+\frac{\partial}{\partial\xi}(\nu_t\frac{\partial u}{\partial\xi}+\nu_t\eta_x\frac{\partial u}{\partial\eta})+\eta_x\frac{\partial}{\partial\eta}(\nu_t\frac{\partial u}{\partial\xi}+\nu_t\eta_x\frac{\partial u}{\partial\eta})$$
$$+\frac{\partial}{\partial\gamma}(\nu_t\frac{\partial v}{\partial\xi}+\nu_t\eta_x\frac{\partial v}{\partial\eta})+\eta_y\frac{\partial}{\partial\eta}(\nu_t\frac{\partial v}{\partial\xi}+\nu_t\eta_x\frac{\partial v}{\partial\eta})$$
$$+\eta_z\frac{\partial}{\partial\eta}(\nu_t\frac{\partial w}{\partial\xi}+\nu_t\eta_x\frac{\partial w}{\partial\eta})\tag{6-17}$$

(2) v 的动量方程：

$$\phi=v\quad \Gamma=\nu+\nu_t$$

$$S_v(\xi,\gamma,\eta)=-\frac{1}{\rho}(\frac{\partial P}{\partial\gamma}+\eta_y\frac{\partial P}{\partial\eta})$$
$$+\frac{\partial}{\partial\xi}(\nu_t\frac{\partial u}{\partial\gamma}+\nu_t\eta_y\frac{\partial u}{\partial\eta})+\eta_x\frac{\partial}{\partial\eta}(\nu_t\frac{\partial u}{\partial\gamma}+\nu_t\eta_y\frac{\partial u}{\partial\eta})$$
$$+\frac{\partial}{\partial\gamma}(\nu_t\frac{\partial v}{\partial\gamma}+\nu_t\eta_y\frac{\partial v}{\partial\eta})+\eta_y\frac{\partial}{\partial\eta}(\nu_t\frac{\partial v}{\partial\gamma}+\nu_t\eta_y\frac{\partial v}{\partial\eta})$$
$$+\eta_z\frac{\partial}{\partial\eta}(\nu_t\frac{\partial w}{\partial\gamma}+\nu_t\eta_y\frac{\partial w}{\partial\eta})\tag{6-18}$$

(3) w 的动量方程：

$$\phi=w\quad \Gamma=\nu+\nu_t$$

$$S_w(\xi,\gamma,\eta)=g-\frac{1}{\rho}\eta_z\frac{\partial P}{\partial \eta}$$

$$+\frac{\partial}{\partial \xi}(\nu_t\eta_z\frac{\partial u}{\partial \eta})+\eta_x\frac{\partial}{\partial \eta}(\nu_t\eta_z\frac{\partial u}{\partial \eta})$$

$$+\frac{\partial}{\partial \gamma}(\nu_t\eta_z\frac{\partial v}{\partial \eta})+\eta_y\frac{\partial}{\partial \eta}(\nu_t\eta_z\frac{\partial v}{\partial \eta})$$

$$+\eta_z\frac{\partial}{\partial \eta}(\nu_t\eta_z\frac{\partial w}{\partial \eta}) \tag{6-19}$$

(4)紊动能量 k 的动量方程：

$$\phi=k \quad \Gamma=\nu+\nu_t/\sigma_k \quad S_k(\xi,\ \gamma,\ \eta)=Prod(\xi,\ \gamma,\ \eta)-\varepsilon$$

$$Prod(\xi,\gamma,\eta)=\nu_t\{\ 2(\frac{\partial u}{\partial \xi}+\eta_x\frac{\partial u}{\partial \eta})^2+2(\frac{\partial v}{\partial \gamma}+\eta_y\frac{\partial v}{\partial \eta})^2+2(\eta_z\frac{\partial w}{\partial \eta})^2$$

$$+(\frac{\partial u}{\partial \gamma}+\eta_y\frac{\partial u}{\partial \eta}+\frac{\partial v}{\partial \xi}+\eta_x\frac{\partial v}{\partial \eta})^2$$

$$+(\eta_z\frac{\partial u}{\partial \eta}+\frac{\partial w}{\partial \xi}+\eta_x\frac{\partial w}{\partial \eta})^2$$

$$+(\eta_z\frac{\partial v}{\partial \eta}+\frac{\partial w}{\partial \gamma}+\eta_y\frac{\partial w}{\partial \eta})^2\ \} \tag{6-20}$$

(5)耗散率 ε 的动量方程：

$$\phi=\varepsilon \quad \Gamma=\nu+\nu_t/\sigma_\varepsilon$$

$$S_\varepsilon(\xi,\ \gamma,\ \eta)=\varepsilon(C_{\varepsilon 1}Prod(\xi,\ \gamma,\ \eta)-C_{\varepsilon 2}\varepsilon)/k \tag{6-21}$$

6.2.5 σ 坐标变换的连续性条件

在 σ 坐标系中，网格线与自由水面和河床底面是重合的，即是所谓的贴体坐标。对自然河道中的丁坝绕流模拟而言，如果坡降较大，网格线可能剧烈扭曲，这样的网格方式在求解水平梯度时会出现问题(Haney，1991)。

考虑水平压力梯度从笛卡儿坐标向 σ 坐标的变换：

$$\frac{\partial p}{\partial x}=\frac{\partial p}{\partial \xi}+\eta_x\frac{\partial p}{\partial \eta}=\frac{\partial p}{\partial \xi}-\frac{1}{h}(\overline{H}\frac{\partial Z_b}{\partial x}+\eta\frac{\partial h}{\partial x})\frac{\partial p}{\partial \eta}$$

在梯度剧烈变化的条件下，一个较小的压力梯度可能是两个符号相反的压力梯度相互抵消的结果。这样的话，对单独一项取较小的截断误差，也可能导致较大的压力梯度计算误差，从而出现“人工流动”现象。为避免这种情况的发生，需要保证一个所谓的“静态连续条件”(Stelling 和 Kester，1994)：

$$\left|\frac{\eta}{h}\cdot\frac{\partial h}{\partial \xi}\right|\cdot\delta\xi<\delta\eta \tag{6-22}$$

式中：$\delta\xi$ 和 $\delta\eta$ 分别为 ξ 和 η 方向的网格单元尺寸。静态连续条件不满足时，可能会使计算不收敛。

6.2.6 压力修正方程

Patanka 和 Spalding(1972)基于压力求解的计算模式可以通过坐标变化在一般曲线坐标系中使用(Shyy，1994)。下面简单给出推导过程。

以 u^*、v^*、w^* 和 P^* 表示速度和压力场的估计值，P' 表示压力修正，相应的速度修正用 u'、v'、w' 表示，并可写成：

$$\left.\begin{aligned}u&=u^*+u'\\v&=v^*+v'\\w&=w^*+w'\\P&=P^*+P'\end{aligned}\right\} \tag{6-23}$$

对变换速度变量，也有相同的表达式成立：

$$\left.\begin{aligned}U&=U^*+U'\\V&=V^*+V'\\W&=W^*+W'\end{aligned}\right\} \tag{6-24}$$

应用速度变换公式(6-10)，笛卡儿速度修正与变换速度修正之间有下列关系：

$$\left.\begin{aligned}U'&=u'\\V'&=v'\\W'&=\eta_x u'+\eta_y v'+\eta_z w'\end{aligned}\right\} \tag{6-25}$$

将压力梯度项从一般形式的离散方程(6-14)中提出，则 u_e 的方程可以写成：

$$a_e u_e = \sum a_{nb} u_{nb} + b_u^{\eta} + J \cdot (P_P - P_E) \delta\gamma \cdot \delta\eta \tag{6-26}$$

式中：b_u^{η} 是不包括压力梯度 $\dfrac{\partial P}{\partial \xi}$ 的源项，但压力梯度的 $\dfrac{\partial P}{\partial \eta}$ 一项仍包括在源项中。

同样，可以写出速度 v_n 和 w_t 的一般形式离散方程。根据 SIMPLE 算法在笛卡儿坐标中的计算步骤，可以得到速度修正的表达式如下：

$$\left.\begin{aligned} & u_e' = J \cdot d_e (P_P' - P_E') \quad d_e = \frac{\delta\gamma \cdot \delta\eta}{a_e} \\ & v_n' = J \cdot d_n (P_P' - P_N') \quad d_n = \frac{\delta\xi \cdot \delta\eta}{a_n} \\ & w_t' = J \cdot \eta_z d_t (P_P' - P_T') \quad d_t = \frac{\delta\xi \cdot \delta\gamma}{a_t} \end{aligned}\right\} \tag{6-27}$$

变换变量的速度修正可表示为：

$$\left.\begin{aligned} & U_e' = u_e' \\ & V_n' = v_n' \\ & W_t' = (\eta_x u')_t + (\eta_y v')_t + (\eta_z w')_t \end{aligned}\right\} \tag{6-28}$$

为简化起见，式中 u_t' 、v_t' 的计算采用线性插值

$$(\eta_x u')_t = (\eta_x u')_b = \frac{1}{2} (\eta_x)_P (u_e' + u_w')$$

将式(6-27)的压力修正方程代入连续方程(6-6)，可以得到：

$$a_P P_P' = a_E P_E' + a_W P_W' + a_N P_N' + a_S P_S' + a_T P_T' + a_B P_B' + b \tag{6-29}$$

式中：

$$
\left.\begin{aligned}
a_E &= (J^2 Ad)_e \\
a_W &= (J^2 Ad)_w \\
a_N &= (J^2 Ad)_n \\
a_S &= (J^2 Ad)_s \\
a_T &= (\eta_z^2 J^2 Ad)_t \\
a_B &= (\eta_z^2 J^2 Ad)_b \\
b &= (JU^* A)_w - (JU^* A)_e + (JV^* A)_s \\
&\quad - (JV^* A)_n + (JW^* A)_b - (JW^* A)_t
\end{aligned}\right\} \tag{6-30}
$$

数值计算时，用压力修正项修正变换流速场，如果在时间迭代的过程中，压力修正方程已经收敛，则刷新后的变换流速场就满足质量守恒方程。当变换流速场满足质量连续方程之后，在代入动量方程之前，应将流速转换成笛卡儿坐标流速。由于质量守恒是以变换流速的显示形式表达的，因此在数值过程中，应特别注意转换是在动量方程之前连续进行的，否则，可能导致质量不守恒，影响计算结果的收敛。在本节中，采用所谓 D'yakonov 迭代(Shyy，1994)的计算程序，保证速度转换的连续性。

6.2.7 河床及表面的边界条件

6.2.7.1 河床边界条件

同样采用壁函数方法处理河床边壁边界问题。

边壁剪切应用可表示为：

$$
\left.\begin{aligned}
\tau_w &= \rho C_\mu^{1/4} k_p^{1/2} / u^+ \cdot V_p \\
u^+ &= \frac{1}{k} \ln\left(F \cdot \delta p_n \frac{C_\mu^{1/4} k_p^{1/2}}{\upsilon}\right)
\end{aligned}\right\} \tag{6-31}
$$

式中：V_p 为 p 点的绝对速度；δp_n 为 p 点与壁面的法向距离(见图 6-3)；F 为壁材料参数。

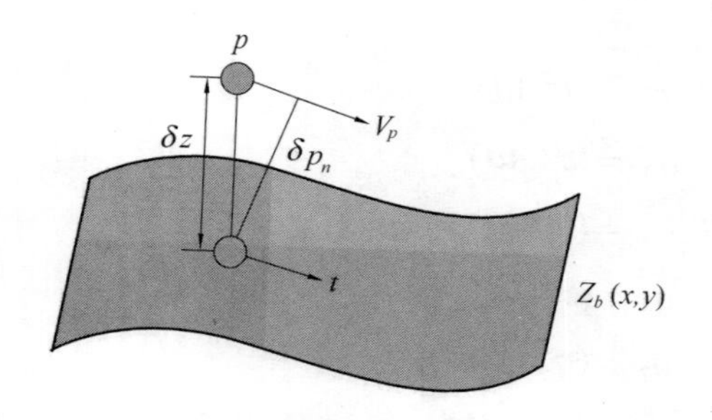

图 6-3 壁函数在非规则地形边界时的应用

图 6-3 中，法向距离δp_n可用下式计算：

$$\delta p_n = \frac{\delta z}{\sqrt{1 + (\frac{\partial Z_b}{\partial x})^2 + (\frac{\partial Z_b}{\partial y})^2}} \tag{6-32}$$

三个剪切应力的分量计算公式为：

$$\left.\begin{aligned} \tau_{wx} &= \tau_w \cdot u_p / V_p \\ \tau_{wy} &= \tau_w \cdot v_p / V_p \\ \tau_{wz} &= \tau_w \cdot w_p / V_p \\ V_p &= \sqrt{u_p^2 + v_p^2 + w_p^2} \end{aligned}\right\} \tag{6-33}$$

式中：u_p、v_p 和 w_p 为 p 点的笛卡儿流速分量。

在靠近壁面的单元，用剪切应力分量代替速度方程中的扩散项，如对 u 控制体积的边界单元，首先将 u 的动量方程写成：

$$\left.\begin{aligned} &\frac{\partial(JU_j u)}{\partial \xi_j} + \frac{\partial}{\partial \xi_j}(\Gamma J G_{uj}) = JS_u \\ &G_{u1} = g_{11}\frac{\partial u}{\partial \xi} + g_{13}\frac{\partial u}{\partial \eta} \\ &G_{u2} = g_{22}\frac{\partial u}{\partial \gamma} + g_{23}\frac{\partial u}{\partial \eta} \\ &G_{u3} = g_{31}\frac{\partial u}{\partial \xi} + g_{32}\frac{\partial u}{\partial \gamma} + g_{33}\frac{\partial u}{\partial \eta} \end{aligned}\right\} \tag{6-34}$$

对近壁单元，G_{u3} 的离散项变成 $(\Gamma JG_{u3})_t-(\Gamma JG_{u3})_b$，将 $(\Gamma JG_{u3})_b$ 项用 τ_{wx} 替代。

6.2.7.2 水面边界条件

对自由水面，有运动方程：

$$\frac{\partial Z_s}{\partial t}+u_s\frac{\partial Z_s}{\partial x}+v_s\frac{\partial Z_s}{\partial y}=w_s \tag{6-35}$$

式中：u_s、v_s、w_s 为自由水面处的速度分量。可用此方程跟踪自由水面的运动。

自由水面的压力条件可提供一个边界条件为：

$$\left.\begin{aligned}&(\frac{\partial u}{\partial z}+\frac{\partial w}{\partial x})_s=0\\&(\frac{\partial v}{\partial z}+\frac{\partial w}{\partial y})_s=0\end{aligned}\right\} \tag{6-36}$$

6.3 泥沙输运的模拟

根据泥沙在水流中的运动方式，可将泥沙分为推移质和悬移质两种形式。悬移质泥沙中还包含冲泻质，根据 ISO 标准，泥沙可按以下方式分类(Rijn，1993)：

泥沙
- 河床质
  - 以推移质方式运动
  - 以悬移质方式运动
- 冲泻质 —— 以悬移方式运动

推移质为与河床不间断接触的泥沙，基本是以旋转、滑移和跳动的方式向前推进。悬移质为受水流紊动作用、以悬移方式在水中运动、在足够长时间内不接触河床的部分，悬移质基本以与水流相同的速度运动。推移质和悬移质共同组成了河床质，其运动速率由河道的输运能力决定。冲泻质是那些比河床质还小的极细泥沙颗粒，总以悬浮状态随水流运动，在河道中不发生沉积。

冲泻质的运动速率只取决于河道上游的泥沙输入状态。

对动床，由于河床质的冲淤变化，河道地形发生变化。对丁坝周边的冲淤变化而言，分析认为河床质中的推移质起主要作用，因此本节丁坝周边泥沙运动的模拟仅考虑了推移质，而忽略了悬移质作用的影响。

6.3.1 推移质运动

6.3.1.1 推移质输沙率

推移质输运的模拟主要是推移质输沙率（q_b）的计算。推移质输沙率是推移质颗粒速度（u_b）、颗粒跳跃高度（δ_b）以及推移质浓度（c_b）的函数（Rijn，1984a）。推移质输沙率的原始计算式可以表示为：

$$q_b = u_b \delta_b c_b$$

目前应用较多的推移质输沙率公式有 Meyer-Peter-Muller（1948）公式、van Rijn（1984a）建议的公式等。

（1）Meyer-Peter-Muller 公式的应用范围为：

中值粒径：0.4 mm$<d_m<$29 mm

坡度：0.000 4$<i<$0.02

水深：0.1 m$<h<$1.2 m

其输沙率公式为：

$$q_b = 8\left((s-1)g\right)^{0.5} d_m^{1.5} (\mu\theta - 0.047)^{1.5} \tag{6-37}$$

式中：$\theta = \dfrac{\tau_b}{(\rho_s - \rho) g d_m}$，为无量纲颗粒运动参数；$\mu=(C/C')^{1.5}$，河床形态因子，$C$ 为广义 Chezy 系数，C' 为颗粒 Chezy 系数；d_m 为颗粒中值粒径；q_b 为单位宽度泥沙输移量；s 为泥沙密度（ρ_s）与清水密度（ρ）的比率；g 为重力加速度。

方程（6-37）中的 0.047 可以认为是泥沙的临界运动参数。由于此公式主要针对的是粗颗粒泥沙，作者建议采用 0.047 的值。对均匀河床质，中值粒径 d_m 一般是 D_{50} 粒径的 1.1 ~ 1.3 倍。

⑵ Rijn 的公式可以用于大颗粒和小颗粒泥沙，粒径范围 0.2 ~ 10 mm。公式形式为：

$$q_b = 0.053\left((s-1)g\right)^{0.5} D_{50}^{1.5} \frac{T^{2.1}}{D_*^{0.3}} \tag{6-38}$$

$$D_* = D_{50}\left(\frac{(s-1)g}{\nu^2}\right)^{1/3} \tag{6-39}$$

$$T = \frac{\tau_b' - \tau_{b,cr}}{\tau_{b,cr}} \tag{6-40}$$

$$\tau_b' = \alpha_b \tau_b \quad \alpha_b = (\frac{C}{C'})^2 \tag{6-41}$$

$$C = 18\lg(\frac{12h}{K_s}) \tag{6-42}$$

$$C' = 18\lg(\frac{12h}{3D_{90}}) \tag{6-43}$$

式中：D_{50} 为 50%泥沙为细沙时的泥沙直径；D_*为颗粒参数；ν 为运动黏滞系数；T 为输移阶段变量；τ_b' 为有效河床剪切应力，有效河床剪切应力受河床粗糙高度的影响；$\tau_{b,cr}$ 为临界河床剪切应力；C 为综合 Chezy 系数；C' 为颗粒 Chezy 系数；h 为水深；K_s 为河床粗糙高度；D_{90} 为 90% 泥沙为细沙时的泥沙直径。

对上述 Meyer-Peter-Muller 和 Rijn 公式的计算得到的输沙率进行了对比分析，选用的泥沙颗粒参数为 $D_{50} = 0.8$ mm。图 6-4 为用两种经验公式计算得到的输沙率曲线，从图上可以看出，Rijn 公式计算得到的输沙率要比 Meyer-Peter-Muller 公式计算的结果偏大。

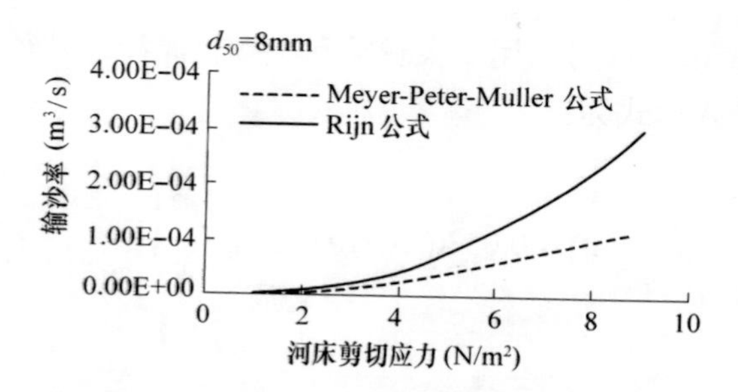

图 6-4　两种经验公式计算得到的输沙率曲线

6.3.1.2　临界河床应力

用 Shields(1936) 的平底河床试验结果，可表示临界河床应力大小。计算公式为：

$$\tau_{b,cr} = \rho\theta_{cr}(s-1)gD_{50} \tag{6-44}$$

式中：θ_{cr} 为临界运动参数，可根据 Shields 曲线进行计算。

$$\begin{cases} D_* \leqslant 4 \quad \theta_{cr} = 0.24(D_*)^{-1} \\ 4 < D_* \leqslant 10 \quad \theta_{cr} = 0.14(D_*)^{-0.64} \\ 10 < D_* \leqslant 20 \quad \theta_{cr} = 0.04(D_*)^{-0.10} \\ 20 < D_* \leqslant 150 \quad \theta_{cr} = 0.013(D_*)^{0.29} \\ D_* > 150 \quad \theta_{cr} = 0.055 \end{cases} \tag{6-45}$$

6.3.1.3　河床坡度的影响

由于推移质输沙率公式(6-38)是基于水平床面的试验结果推导而得的，故不能正确反映河床坡度对推移质输沙率的影响。但是在丁坝坝头冲坑的形成过程中，局部床面的横向及纵向坡度对推移质输沙率都有至关重要的影响，不可忽略。根据 Rijn(1993) 的研究成果及建议，本研究采用以下方法考虑纵向及横向床面坡度对输沙率的影响。

(1) 在 Shields 临界剪切力计算时对床面纵向 (s) 及横向 (n) 坡度的影响加以修正：

$$\tau_{b,cr,s} = k_\beta k_\gamma \tau_{b,cr} \tag{6-46}$$

式中：k_β 为纵向坡度影响系数，$k_\beta = \dfrac{\sin(\varphi - \beta)}{\sin\varphi}$，顺坡 ($k_\beta$ <1)，$k_\beta = \dfrac{\sin(\varphi + \beta)}{\sin\varphi}$，逆坡 ($k_\beta$>1)，$\beta$为纵向坡角，$\varphi$为修止角；$k_\gamma$为横向坡度影响系数，$k_\gamma = \cos\gamma(1 - \dfrac{\tan^2\gamma}{\tan^2\varphi})$，$\gamma$ 为横向坡角。

(2) 对推移质输沙率本身的计算也进行坡面影响的修正。修正后的纵向推移质输沙率采用下式计算：

$$q_{b,s} = \alpha_s q_b \tag{6-47}$$

式中：α_s 为推移质坡度影响系数，$\alpha_s = \dfrac{\tan\varphi}{\cos\beta(\tan\varphi \pm \tan\beta)}$，顺坡 (+)，逆坡 (–)。

而横向上的推移质输沙率则采用下式计算：

$$q_{b,n} = \left[\frac{u_{b,n}}{u_{b,s}} + \varepsilon\left(\frac{\tau_{b,cr}}{\tau_{b,s}}\right)^{0.5}\tan\gamma\right] q_{b,s} \tag{6-48}$$

式中：$u_{b,n}$、$u_{b,s}$ 分别为近床单元流速在横向 n 及纵向 s 方向上的分量；$\tau_{b,cr}$ 为床面临界剪切力；$\tau_{b,s}$ 为 s 方向上的床面剪切力；ε 为一试验率定参数，建议值 ε=1.5。

式 (6-48) 右边第一项表示水流在近床单元的流动方向，第二项则表示重力对泥沙颗粒在横向上的作用。如果床面在横向上没有坡度，则式 (6-48) 中第二项自然消失，此时泥沙的运动方向与近床的水流方向一致。

6.3.2 河床变形

根据非恒定二维泥沙运动连续方程计算河床高度的变化过程，

其计算公式为：

$$\frac{\partial Z_b}{\partial t}+\frac{1}{1-\lambda}(\frac{\partial q_{b,x}}{\partial x}+\frac{\partial q_{b,y}}{\partial y})=0 \tag{6-49}$$

式中：Z_b为河床高度；$q_{b,x}$、$q_{b,y}$分别为x及y方向的推移质输沙率；λ为泥沙孔隙率。

对依赖时间坐标的河床变化过程，计算时采用了非耦合的半恒定水沙连接计算方法，即在一定的短时间内考虑恒定的水流运动所产生的河床变形。各水动力参数由全三维紊动水流模型计算提供。

6.3.3 河床平衡条件

定义河床平衡状态为：在稳定流动条件下，河床地形不随时间而变化。数学上可以表示为地形高程随时间的变化趋向于零，即

$$\frac{\partial Z_b}{\partial t}\to 0$$

计算河床变形时，采用准稳态的地形和水流耦合计算方式，即在一个稳定的水流时间步长内计算河床随时间的变化。求解方程(6-49)得到河床高度，水流条件由水动力模型计算提供。计算流程如图 6-5 所示。

6.4 模型验证

6.4.1 考虑自由表面的丁坝绕流

首先用具有自由表面的丁坝群绕流验证经坐标变换后的水流模型。模型试验情况如第二章所介绍的，用其中的试验工况-2 和试验工况-3 的结果。数学模型由于引入了σ坐标变换，可以模拟自由水面的变化。流动几何参数如图 5-5 所示。

为避免计算过于复杂，同时考虑到河床变形计算的相应精度，将水流计算精度与之匹配，流动模拟时对流项离散用一阶精度的幂函数格式，紊流模型采用 Zhu-Shih 修正的 k-ε 模型。

近床平面上的计算流速矢量分布和试验结果如图 6-6 所示，计算较好地反映出丁坝后面的回流形态。

图 6-7 所示为靠近侧壁的垂直面上的 u-w 流速矢量比较。尽管采用的 k-ε 模型比较简单，但仍然可较好地模拟丁坝后面的回流形态，并且比在笛卡儿坐标中采用相同精度紊流模型时的模拟结果更好一些，表明自由水面条件对回流计算结果有影响。不过，在试验中观测到的丁坝迎流面附近的小尺度回流，在计算中没有能够模拟出来。

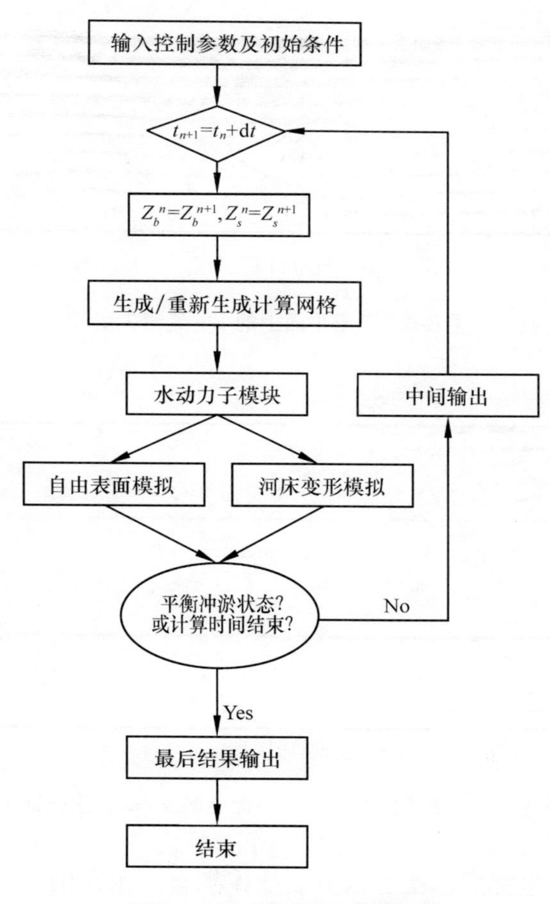

图 6-5　河床变形的计算流程

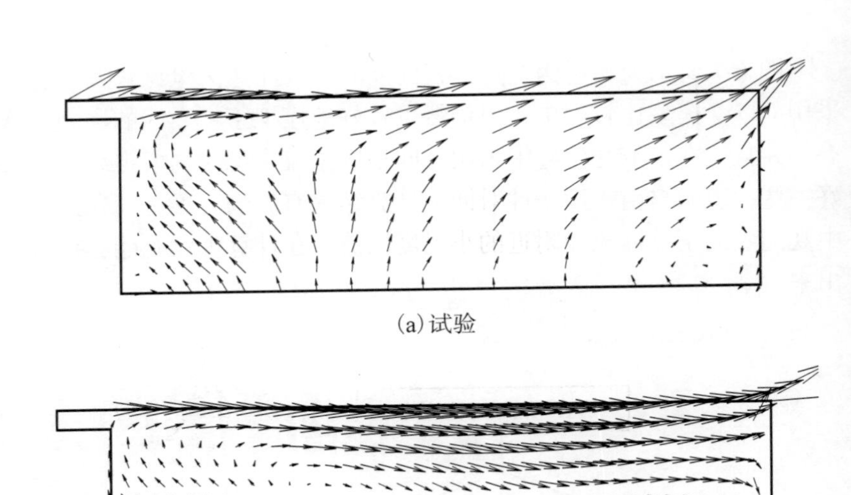

(a)试验

(b)计算

图 6-6　近床平面上的 ***u-v*** 流速矢量

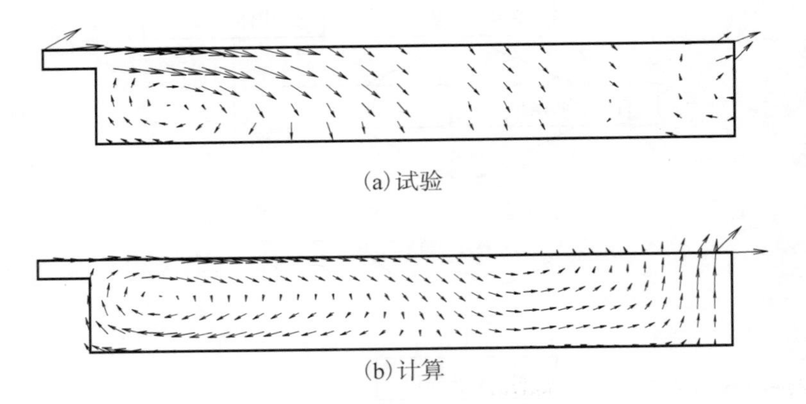

(a)试验

(b)计算

图 6-7　靠近侧壁的垂直平面上的 ***u - w*** 流速矢量

采用σ坐标后，就可以方便地模拟自由水面的变化。同样可用在试验中测量水面高度，验证模型模拟自由水面变化的性能。

图 6-8 所示为丁坝附近沿两条纵向线上的水面高度计算和试验结果比较。线 y =2 cm 在靠近边墙的位置，线 y =10 cm 在坝端坝头的顶端位置，图中虚线表示平均水面高度。比较结果表明，模型计算结果与试验结果吻合良好。

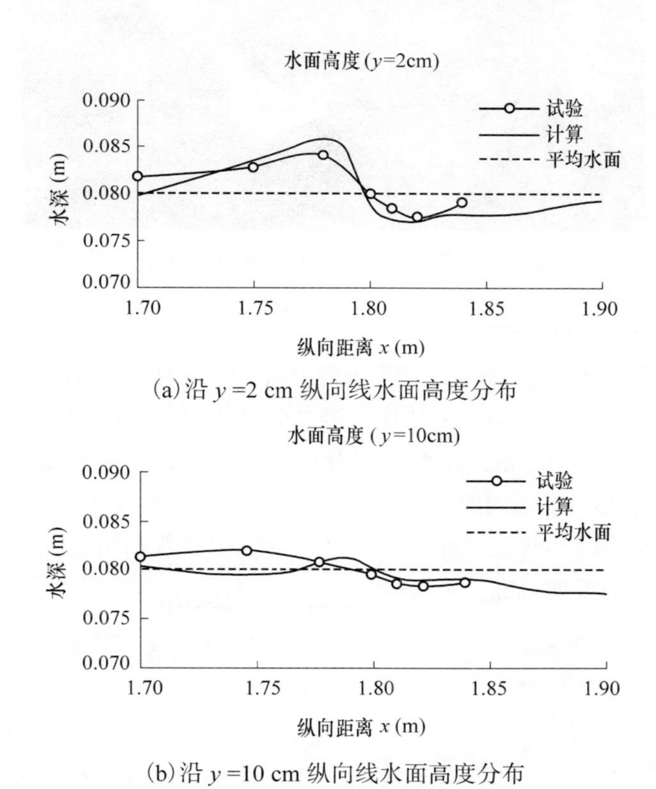

(a)沿 y =2 cm 纵向线水面高度分布

(b)沿 y =10 cm 纵向线水面高度分布

图 6-8 水面高度计算和试验结果比较

从计算结果可以看出，由丁坝扰动引起的水面波动仅局限在丁坝附近的范围内。水流在接近丁坝时水面抬升，跃过丁坝之后水面迅速下降，最大水位抬升发生在丁坝迎流面靠近侧面边墙的位置，沿横断面方向，从侧壁到中心水位抬升逐渐减少。

丁坝附近水面波动的三维示意图如图 6-9 所示。

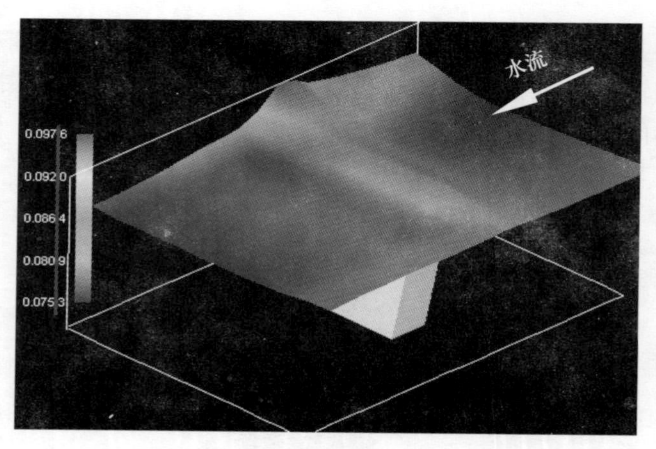

图 6-9　丁坝附近的计算水面(单位：m)

6.4.2　人工沙丘流动

为验证模型模拟非规则地形条件下水流特性的能力，用 Van Mierlo 和 De Ruiter(1988)的人工沙丘水流试验结果来验证模型。试验用水槽长 50 m，宽 1.5 m，放水流量为 0.149 m^3 / s，平均水深 0.252 m。试验时将 33 个混凝土沙丘连续布设在水槽中，形成人工沙丘河床。每一个沙丘的形状及尺寸如图 6-10 所示，用多普勒激光流速仪测量沙丘附近的流速分布。

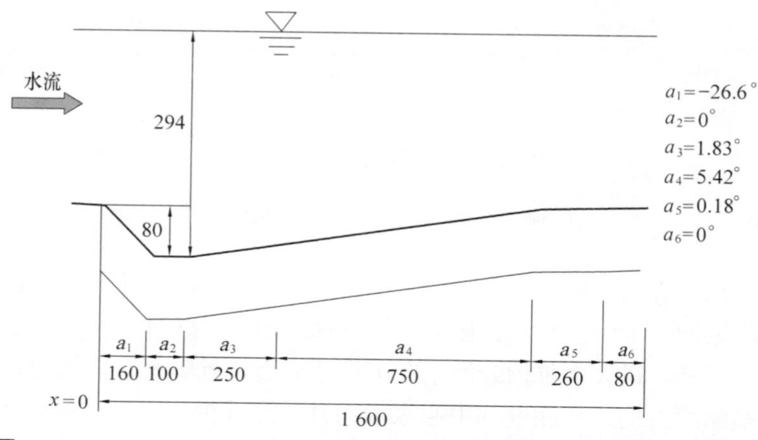

图 6-10　Van Mierlo 和 De Ruiter 试验中的沙丘剖面(1988)(单位：mm)

每一个沙丘立面上的网格划分如图 6-11 所示，每一沙丘对应的网格点为 61×23×21，在数值模拟中连续布设了三个沙丘，可以反映沙丘之间相互影响之后形成的周期变化流场。下面讨论最后一个沙丘位置的流场以及与相应试验结果的对比。

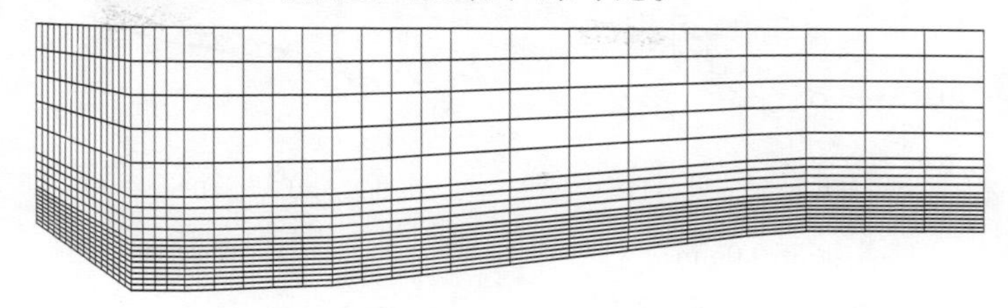

图 6-11　一个沙丘的计算网格

图 6-12 给出了在沙丘立面上四个位置的流速剖面计算与试验的比较。图中所示的流速剖面的位置 x 是指离沙丘冠顶(图 6-10 中 x=0 位置)的下游距离，如 x=0.06 m 指离冠顶下游 0.06 m。从图中可以看出，计算与试验结果总体吻合良好，仅在沙丘跌坎位置的回流区，计算的回流速度略微偏小。

6.4.3　丁坝附近河床变形

对上节建立的泥沙模型首先采用 Ohmoto 等(1998)的最新试验结果加以验证。该试验用水槽长 10 m，宽 0.4 m，为动床模型，采用特征直径 D_{50}=0.94 mm 的硅砂为模型沙，初始铺设厚度为全水槽段 6 cm，模型丁坝尺寸为长 7.5 cm、宽 1.8 cm、高 3.0 cm，以 15 cm 等间距布设于水槽右侧边墙。图 6-13 所示为局部水槽段及丁坝布设几何示意。水槽流量 5.83 L / s，平均水深 5.0 cm。

为获取在相应试验条件下经充分发展后形成的稳定冲坑形态，试验时必须保证足够的水流冲刷时间。预试验表明，在连续放水 120 min 之后，冲坑已相对稳定。在试验布设的 10 个连续丁坝范围，对水槽中段部丁坝周边的河床地形进行测量，以避免上游侧丁坝附近冲淤未充分发育对试验结果的影响。图 6-14 所示为试验所测坝头冲坑沿纵向 AB 线及横向 CD 线(AB 及 CD 线位置参见图 6-14 的剖面形状与数值模型计算结果的比较。

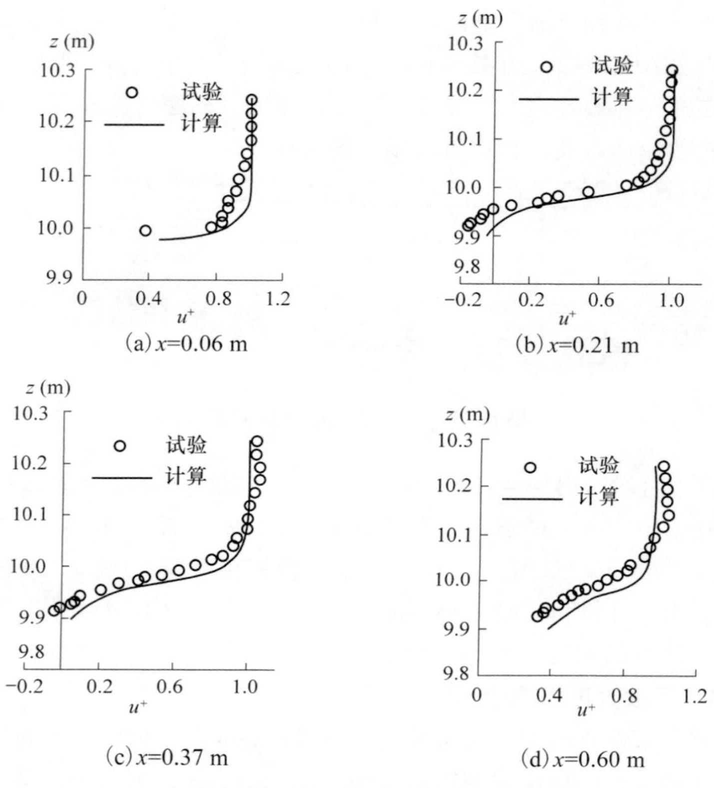

图 6-12　沙丘立面不同位置流速剖面计算与试验结果比较

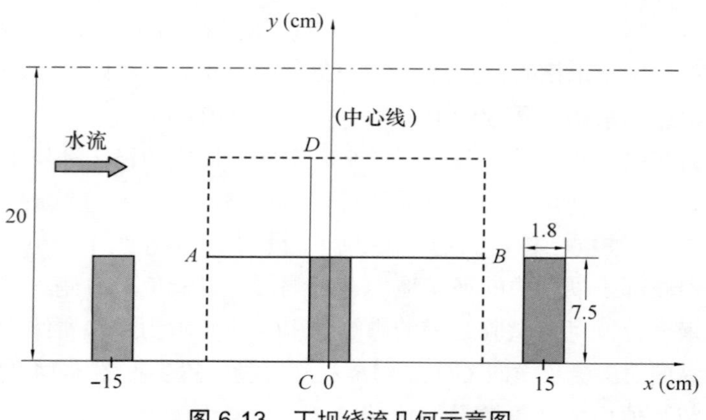

图 6-13　丁坝绕流几何示意图

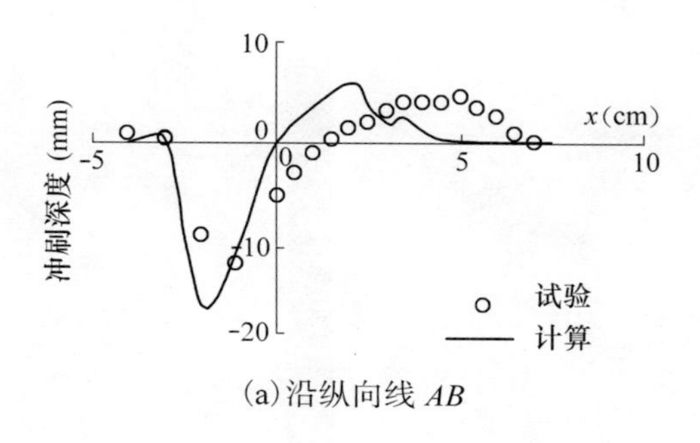

(a)沿纵向线 AB

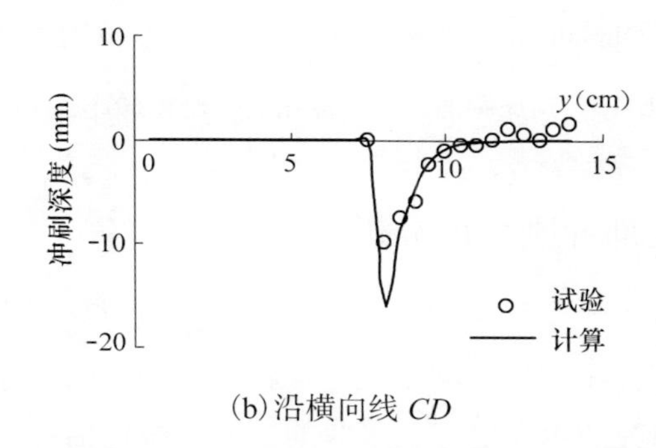

(b)沿横向线 CD

图 6-14　冲坑剖面形状试验与模型计算结果的比较

试验观测及计算结果均表明，冲坑在丁坝坝头迎流面端形成。试验测得的冲坑最大深度达 11 mm，而计算值略微偏高，为 15.5 mm。比较结果表明，数值计算总体上能够比较合理地反映坝头冲坑的剖面形状及周边的淤积位置，但冲刷位置比试验所测略偏向上游。

图 6-15 所示为一个丁坝附件的河床平面形态计算和试验结果比较，坝头冲刷、坝尾淤积的态势明确。计算得到的坝头冲刷范围偏小，坝尾淤积位置略偏向上游。与水流的预报精度相比，冲淤演变的准确预报还有待进一步的细致工作。

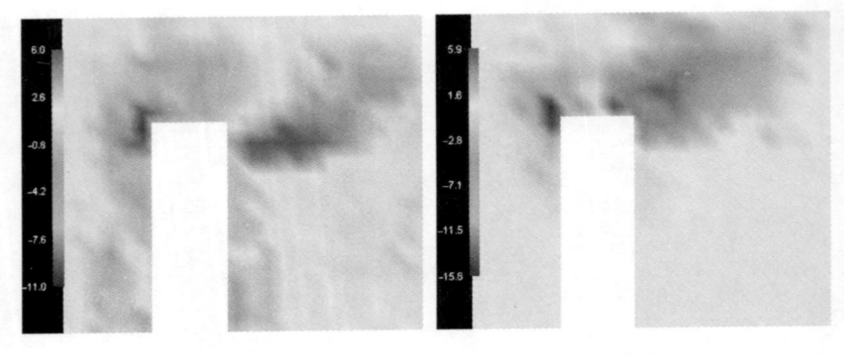

(a) 试验（Ohmoto 等，1998）　　(b) 计算

图 6-15　河床平面形态计算和试验比较（单位：mm）

6.5　丁坝局部冲刷特性分析

6.5.1　概述

丁坝局部冲刷直接影响水工建筑物的安全，因此分析局部冲刷一直是丁坝研究的重点之一，采取的技术手段包括物理模型试验和数值模拟。主要关注点：一是最大冲刷深度（Grade 等，1961；Melville，1992），二是冲刷的发展过程以及冲刷发生的机理（Gill，1972；Sturm 和 Janjua，1994），同时也应关注减轻冲刷的措施及效果（Rahman 等，1998）。

理论上，丁坝结构体附近的冲刷可分为载入冲刷和清水冲刷两种类型。清水冲刷发生在来流速度 V 小于泥沙启动临界速度 V_c（$V/V_c \leqslant 1$），而载入冲刷发生在 $V/V_c > 1$。在清水冲刷条件下，由于上游侧没有泥沙启动，因此近丁坝冲刷发生时，没有泥沙补充。载入冲刷则与之相反，上游侧受水流扰动而启动的泥沙会补充到冲刷坑，当泥沙补充速率和冲刷速率平衡时，冲刷不再发展，达到动态平衡状态。冲坑随时间发展的一般过程如图 6-16 所示（Randkivi，1986）。

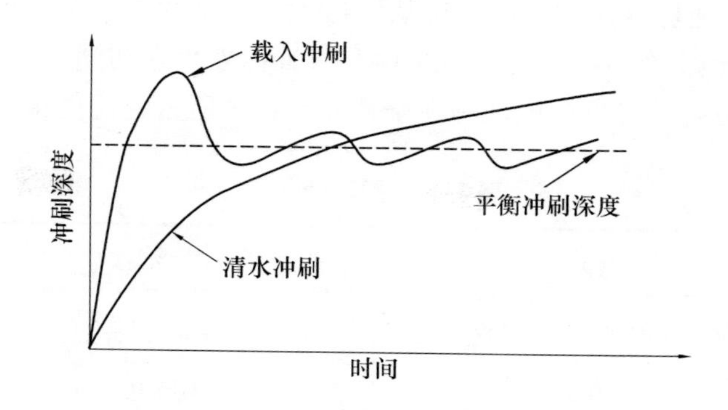

图 6-16　冲坑随时间的发展过程

由图 6-16 可见，在清水冲刷时，冲坑深度随时间变化逐渐接近平衡冲刷深度，而在载入冲刷时，初始冲刷深度较大，随着泥沙的动态调整，围绕平衡冲刷深度波动，最后达到一种动态平衡状态。

清水冲刷和载入冲刷的过程不同，分析时应加以区别。一般情况下，应将清水冲刷条件作为丁坝设计时的控制条件，因为清水冲刷深度大于载入冲刷深度。

本节采用数值模拟的方法分析清水冲刷条件下的丁坝局部冲刷特性，其中水流计算采用的是在 6.2 中介绍的水流子模型，泥沙子模型是在 6.3 中介绍的推移质输沙模型。

6.5.2　丁坝局部冲刷

用上述水沙模型分析丁坝局部的冲刷特性，模拟动床条件下丁坝周边的泥沙运动，研究其局部的冲刷特性。计算对象域及坐标系统如图 5-1 所示，丁坝的位置范围为 x=4 ~ 4.03 m，y=0 ~ 0.15 m。水沙条件如表 6-1 所列。

首先关心的是最大冲刷深度。以最大冲坑深度表征的冲坑随时间的发展过程如图 6-17 所示。在冲刷的初始阶段，冲深发展很快，此时水流的冲蚀能力为最大。随着冲坑的发展，冲深逐渐增加，但冲刷率下降，到后期最大冲深达到相对稳定，不再随时间的推移有明显变化。在此计算实例中，冲深在 20 分钟后达到其最大值，为

7.43 cm，但在初期冲刷 5 min 后，最大冲深已达 5.8 cm，如以相对百分比计算，约 78%(5.8 / 7.43)的最大冲深发生在初期 25%(5 / 20)的时间段内。可见初期冲刷在全部冲刷量中所占的比例很大。

表 6-1　计算水沙条件

水流	泥沙
流量：0.003 6 m^3 / s	D_{50}：0.5 mm
水深：0.09 m	D_{90}：0.9 mm
水槽宽度：0.30 m	ρ_s：2 650 kg / m^3

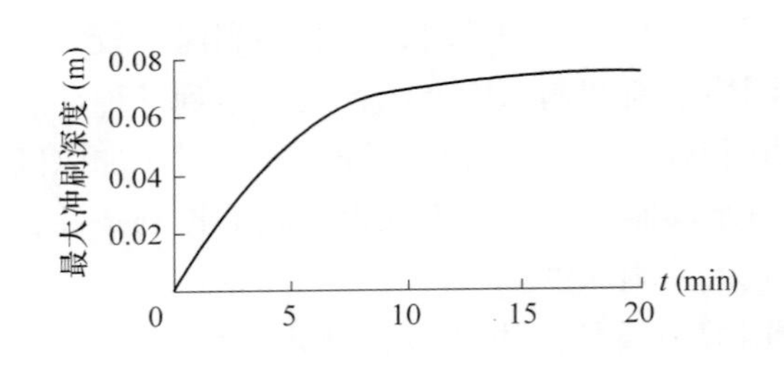

图 6-17　冲深随时间的发展过程

图 6-18 所示为冲坑的纵向剖面随时间变化的过程。在该图中，横断面方向定位于 y =0.15 m，即恰好为坝端位置。由图可见，最大冲深的位置是在坝头的略上游侧(坝头位于 x = 4.0 m)。冲刷初期冲坑的上游坡面比下游坡面要缓许多，被冲刷启动的泥沙在冲坑下游位置迅速沉积。随着冲坑深度的加大，冲坑上、下游坡面也逐渐变陡，冲刷面积及冲坑尺度增加，最后的冲坑呈斜圆锥形。

坝头冲坑的横向剖面随时间发展过程如图 6-19 所示，图中纵向位置定位于 x =4.0 m，即坝头上游侧端。由图 6-19 可见冲坑的近坝端坡面在初期较缓，随冲刷的发展逐渐加大，冲刷深度也逐渐增加至平衡状态。平衡状态时的河床平面形态如图 6-20 所示。

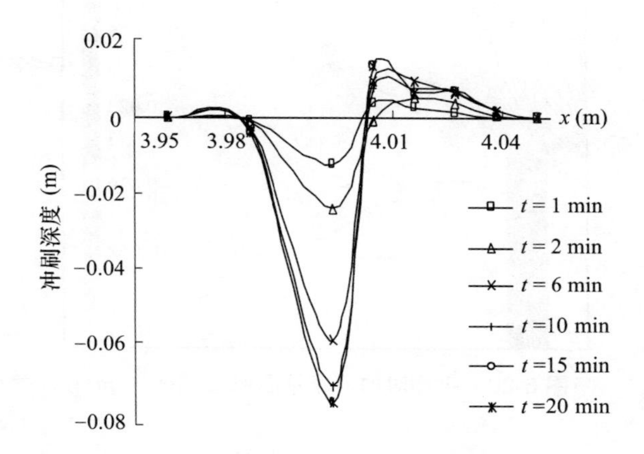

图 6-18　冲坑的纵向剖面形态

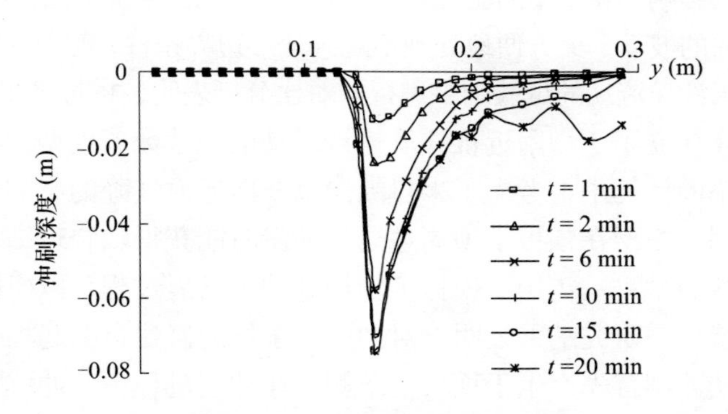

图 6-19　冲坑的横向剖面形态

图 6-20 所示的河床平面形态反映了丁坝坝头冲刷、坝后淤积的一般性冲淤规律。在本节的计算实例中，坝头的最大冲刷深度为 7.43 cm，坝后的最大淤积厚度为 1.3 cm。

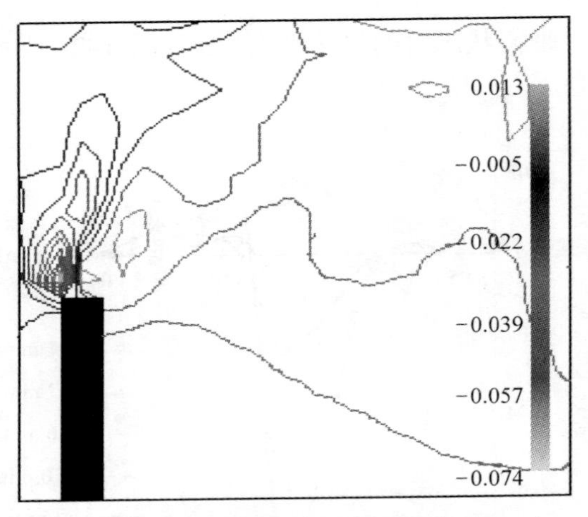

图 6-20　平衡时的河床平面形态（单位：m）

6.6　小结

为分析丁坝近体水流流动的局部冲淤特性，本章将σ坐标变换技术引入三维紊流模型中，以反映地形以及水面的不规则边界对水流特性的影响。经模型的验证计算，表明经坐标变换后的模型能模拟自由水面的波动，更方便地处理不规则地形边界条件，与单一丁坝绕流和人工沙丘流动的试验结果进行的对比分析表明，模拟结果良好。

本章建立了丁坝附近推移质输沙运动的泥沙数值模型。在推移质输沙率的计算中，考虑了来自纵向及横向床面坡降的影响。验证计算表明，模型在预报丁坝周边局部冲淤时能获得较合理结果。开发的泥沙模型进一步用于模拟丁坝局部冲坑发展过程，以研究其冲淤动态特性。研究结果表明，对动床，丁坝的修建会引起坝头的冲刷，初期冲刷首先产生于坝头上游侧。在冲刷过程中，冲坑深度不断增大，伴随着冲刷面积的扩大和冲坑侧面坡度的增加。最大冲深的位置在冲刷过程中几乎保持不变，被冲刷启动的床沙沉降在冲坑的下游侧。以最大冲深表征的冲刷发展过程可分为三个阶段，即冲刷初始阶段、发展阶段和平衡阶段。大部分的冲深是在冲刷初始阶段完成的，因此坝周水流冲刷力在初期阶段最大。

7 设计丁坝的若干考虑

7.1 丁坝的水力特性

7.1.1 一般特征

在河道中设置丁坝，将直接影响水流流速及其分布特性。由于丁坝的扰动，使水流流向偏转，坝头出现分离流、坝后产生漩涡，坝体附近的水流流动强度增大，冲刷能力加强，造成丁坝局部地形冲刷及下游淤积。

丁坝近体最大冲刷深度发生在坝端处。实际情况下，最大冲刷深度与以下几方面的因素有关：①水流流动特性，包括流量、水深、河道宽度以及河床形态等；②泥沙特性，包括泥沙颗粒尺寸、级配分布、黏性特征等；③丁坝尺寸，如丁坝的长度、高度、形状、迎流角度等。影响冲刷深度的重要参数，包括丁坝长度与河道宽度的比值以及泥沙颗粒特性。丁坝长度与河道宽度的比值反映了水流由于缩窄而产生的冲刷强度，泥沙颗粒特性则反映了河床组成材料对这种冲刷趋势的抵抗能力。水流缩窄程度越高，水流的冲刷能力越强，冲刷深度可能越大。粗颗粒泥沙、黏性泥沙比细颗粒泥沙、非黏性泥沙对冲刷具有更强的抵抗能力。

在丁坝近体冲淤变化的过程中，视来流条件的不同又分为清水冲刷和载入冲刷两种类型。清水冲刷条件下的平衡冲刷深度要比载入冲刷条件下的平衡冲刷深度大，因此最大冲刷深度发生在清水冲刷的临界条件下。在丁坝设计中，预测最大冲深以避免结构体基础破坏的相关工作，应采用清水冲刷条件来分析。

7.1.2 丁坝长度及间距

丁坝长度和河道宽度的比值，是影响丁坝近体流态及冲刷深度的一个重要参数。物理模型试验和现场勘测都表明，丁坝垂直于河岸的有效长度，对丁坝近体冲刷和丁坝保护河段的长度都有直接关系(Klingeman 等，1984)，这一比值还影响着平面上的冲刷范围。因此，丁坝的长度必须合理地选择，使之既能有效地保护目标河段，又不至于造成过多的水流缩窄，产生过大的流速。

当多个丁坝用于河道河岸时(即丁坝群结构护岸)，只要丁坝之间的间距不是很大，单一丁坝导致的局部水流和冲淤变化往往会重叠影响，这一现象在第五章中的数值模拟分析中已经提到过。在设计时，丁坝间距视丁坝长度而定。一般情况下，随着丁坝间距与长度比值增加，丁坝群保护目标河段的效率会降低。如果丁坝间距过大，丁坝挑流后的水流可能会在下一丁坝之前重新回到岸边，对所要保护的目标河段造成威胁。不过，如果丁坝间距过窄的话，也不能充分发挥丁坝的护岸效用，因此丁坝间距参数在设计中要认真考虑。随着丁坝流动及泥沙输移数值模拟技术的不断发展，已越来越多地应用数模技术来优化丁坝尺寸参数、支持设计决策。

7.1.3 丁坝形状

丁坝可以建成不同的形状，传统形式的丁坝可以归纳成以下四种(如图 7-1 所示)：①直线丁坝，垂直于岸边，或与岸边成一定角度；②L-型丁坝，外侧向下游弯曲；③J-型丁坝，外侧向上游弯曲；④T-型丁坝，外侧分别向上下游弯曲。

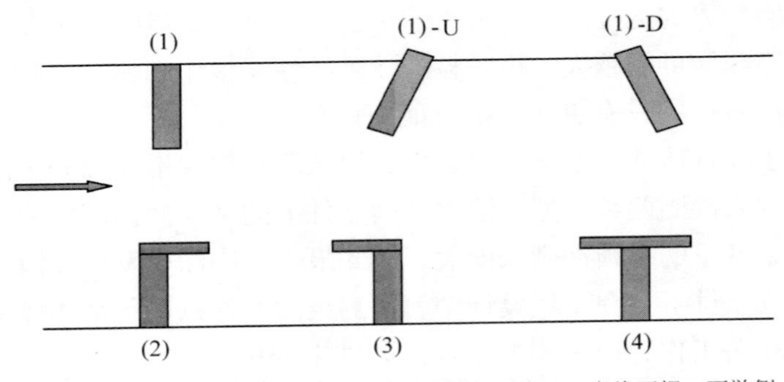

(1)—直线丁坝；(1)-U—直线丁坝，上游侧；(1)-D—直线丁坝，下游侧；
(2)—L-型；(3)—J-型；(4)—T-型

图 7-1 几种传统形式的丁坝

直线丁坝是丁坝的一种最基本形式，设置时可以根据不同的使用目的，或者向上游侧偏离，或者向下游侧偏离。向上游侧偏离的直线型丁坝，将在更大程度上使水流偏离原岸，而向下游侧偏离的丁坝则正好相反。L-型丁坝主要用于保护河道凹岸段，其形式是在直线丁坝的外侧端加上下游向的尾段，加强丁坝护岸的效果。分析表明，L-型丁坝可以更好地阻挡挟沙水流进入丁坝区域，并可降低坝头的冲刷深度，对凹岸而言，L-型丁坝的护岸功效比直线丁坝更好。J-型可用于加速丁坝坝头的泥沙淤积；T-型丁坝兼有 L-型、J-型丁坝的作用，但实际应用及效果调查的例子并不多见。

7.1.4 丁坝的应用

丁坝一般有以下几个方面的作用：①保护河岸及河床免予冲刷；②保持正常的河宽及水深，维持航道；③调整局部冲淤，诱导河滩堆积物，建立新河岸；④增强水流及地形的多样性，改善河道的局部生境条件。

对不同的丁坝用途，设计时有不同方面的考虑。工程护岸、维护河道水深是比较传统的应用方式，提供鱼类等水生动物的栖息环境是近 10 多年才逐渐开展起来的工作。本节重点介绍丁坝在提供鱼类的栖息环境方面的用途。

鱼类喜欢聚积在各种生态条件如流速、水深、食物、庇护场、温度、溶解氧等丰富多样的地方。一个变化多样的河流，具有变化的流速、多样化的河床形态（深潭、浅滩），要比一个单调的河流更适合鱼类的繁殖、生长。

不同形式的丁坝结构都可以用于改善鱼类的生息环境条件。当丁坝用于这一目的时，通常是在河段的合适位置设置，产生局部冲淤，增加局部水深，丰富地形形态，或用于保护河道中已有的深潭或浅滩，为鱼类提供更好的产卵、生长环境。这时常用单一丁坝和双丁坝，而不是像护岸时经常采用丁坝群的形式。有时，丁坝既用于保护河岸，又为强化栖息环境，在这种情形下，数值模拟应该是最有效的分析手段，因为它可以提供复杂流态及冲淤变化的详细信息，为设计服务。

图 7-2 所示为丁坝用于改善生息环境时的典型例子（Klingeman 等，1984）。将成对的丁坝布设在直线河段的两岸，图 7-2（a）在下

游侧产生冲刷和淤积，改变流态分布；图 7-2(b)在丁坝尾部增加折段，增加冲刷强度和范围，加大丁坝背后部位的淤积，改变水流分布。这样，原来直线段河流的相对单一的流动条件和地形条件发生变化，流态及地形多样化，更适合鱼类产卵、遮蔽等对温度、流速、水深、地形等的需求。

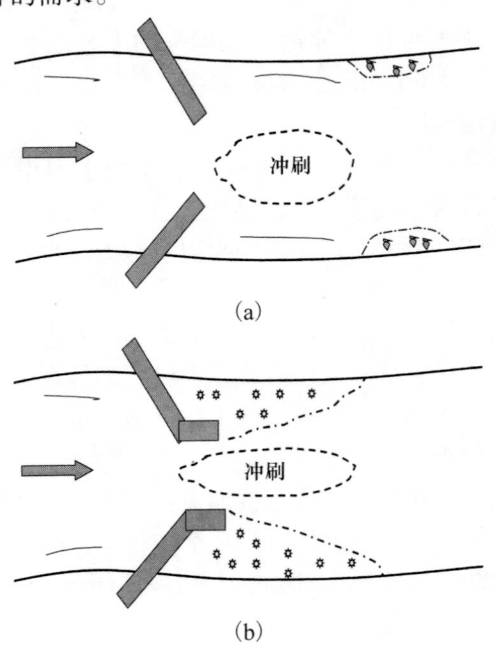

图 7-2　应用丁坝改善鱼类栖息环境

7.2　最大冲刷深度

在丁坝设计中，一个重要的考虑就是丁坝的最大冲刷深度。丁坝结构的基础须置于预测的最大冲刷深度之下，以防止结构体失稳破坏。

长期以来，虽然学术界一直在开展丁坝及类似水工结构、桥梁等近体冲刷深度的研究，但由于这一问题涉及的方面较多，流动及泥沙输移现象十分复杂，迄今为止，对最大冲刷深度的预报成果尚不多见。比较多的一类工作是通过物理模型试验的数据，经回归分析，得到经验或半经验性的最大冲刷深度计算公式。对丁坝的设计工作而言，这样的分析方法实用而有效，因为计算时涉及的水流和泥沙参数不多，比较容易操作。这样得到的经验或半经验公式的主要问题是公式的计算精度和适应性，因为这些公式的导出往往仅依靠有限的试验数据，试验条件受到局限，也很少在实际工程中得到检验。本节简要介绍一下最大冲深的经验公式，并比较不同公式的计算结果。

(1) 对垂直桥墩的清水冲刷，Liu 等(1961)建议预报最大平衡冲刷深度的经验关系式为：

$$y_{m,e} = K_L h_0 (b/h_0)^{0.4} Fr^{1/3} \tag{7-1}$$

式中：$Fr = U_0/\sqrt{gh_0}$，为来流的佛汝德数；U_0 为来流平均速度；h_0 为水深；K_L 为桥墩形状系数，流线头体时取 1.1，钝头体时取 2.15；b 为桥墩凸出长度。

(2) Laursen's (1963)建议计算桥墩近体冲刷深度的半经验公式为：

$$L/d_1 = 2.75(d_{se}/d_1)\left\{[0.09(d_{se}/d_1)+1]^{1.17}/(u_{*1}/u_{*c})-1\right\} \tag{7-2a}$$

在临界条件下公式变为：

$$d_{se}/d_1 = 1.89(L/d_1)^{0.5} \tag{7-2b}$$

式中：d_{se} 为平衡冲深；L 为桥墩长度；d_1 为迎流面水深；u_{*1} 为剪切速度；u_{*c} 为临界剪切速度。

(3) Froehlich(1989)总结了 164 个公开的试验结果，通过回归及量纲分析，得到了如下形式的经验公式：

$$d_{se}/d_1 = 0.78 K_s K_\theta Fr^{1.16} (L/d_1)^{0.63} (d_{50}/d_1)^{-0.43} (\sigma_g)^{-1.87} \tag{7-3}$$

式中：K_s 为形状系数；K_θ为方位系数，$K_\theta=(\theta/90)^{0.13}$，$\theta$ 单位为度；Fr 为佛汝德数；σ_g 为几何标准差，对均匀沙，$\sigma_g<1.3$。

（4）Melville（1992）基于大量的试验数据，建议了计算最大冲刷深度的丁坝设计时可采用的计算方法，这一方法的计算结果是一种上限，因为大多数的计算条件都是发生冲刷的临界条件。计算公式如下：

$$\begin{cases} d_{se}=2K_s^*K_\theta^*(Ld_1)^{0.5} & 1<L/d_1<25 \\ d_{se}=2K_sL & L/d_1<1 \\ d_{se}=10K_\theta d_1 & L/d_1>25 \end{cases} \tag{7-4}$$

式中：K_s 和 K_s^*为形状系数；K_θ 和 K_θ^*为方位系数。

（5）Lim（1994）提出的清水冲刷最大深度计算公式是基于水流连续方程、冲刷几何形态分析，并用了冲积河流中的幂函数流动阻力公式。导出的冲刷深度计算公式如下：

$$d_{se}/d_1=K_s\left\{2(u_{*1}/u_{*c})^{0.75}\left[0.9(L/d_1)^{0.5}+1\right]-2\right\} \tag{7-5a}$$

临界条件下公式变为：

$$d_{se}/d_1=1.8(L/d_1)^{0.5} \tag{7-5b}$$

下面给出一个具体的计算实例，采用上面介绍的各种公式计算最大冲刷深度，比较计算结果。计算实例是在第六章中已经分析过的单一丁坝绕流，有试验结果，也有数值模拟计算结果可以作为对比。具体流动条件为：

水流条件：$V=0.137\text{m/s}$　h_0（d_1）$=0.09\text{m}$

泥沙条件：$d_{50}=0.5\text{mm}$　$d_{90}=0.9\text{mm}$　$\sigma_g=1.3$

丁坝几何尺寸：$L(b)=0.15\text{m}$　$\theta=90°$

计算步骤如下：

首先根据 V/V_c 比率确定冲刷条件，V_c 可以从对数流速剖面中估计（Melville，1997）：

$$\frac{V_c}{u_{*c}}=5.75\lg(5.53\frac{d_1}{d_{50}}) \tag{7-6}$$

临界剪切数度 u_{*c} 从 Shield 曲线得到：

$$u_{*c} = 0.011\,5 + 0.012\,5d_{50}^{1.4} = 0.016\,2(\mathrm{m/s})$$

根据公式(7-6)，$V_c = 0.279$ m / s，$V/V_c = 0.137 / 0.279 < 1$，因此为清水冲刷。

从公式(7-1) ~ 公式(7-5)，可以计算出最大平衡冲刷深度。结果列于表 7-1 中。

表 7-1　最大平衡冲刷深度计算结果

经验公式	预报冲刷深度(cm)
Liu 等	5.81
Laursen	4.29
Froehlich	5.93
Melville	6.57
Lim	4.80

从比较结果来看，各经验公式的预报结果在 4.29 ~ 6.57 cm 的范围，相对还比较接近。在本书的第六章中，曾用三维水流及二维泥沙冲淤模型分析了同样流动条件下的冲刷深度，最大平衡冲刷深度为 7.43 cm，比上述经验公式的预报结果要大。

应该注意的是，由于各种经验公式主要依靠试验结果的回归统计，严格来讲，其应用条件限制于相应的试验条件范围。因此，实际应用时会使预报结果存在误差。在条件具备时，可以采用数值模拟的技术手段，实际模拟丁坝河段的水流及泥沙条件，预报冲刷最大深度。

7.3　小结

本章简要总结了丁坝水流的一般特性，以及丁坝设计时的主要考虑参数，主要目的是从丁坝设计的角度，了解丁坝水流及相关设计要点。

对丁坝群护岸而言，丁坝长度及间距比值是一个重要的设计参数，影响到丁坝的护岸功效。除了主要的护岸作用之外，丁坝还用于缩窄水流、增加水深以及改善水生动物如鱼类的栖息环境。根据丁坝用途的不同，可设计成不同的形式，本章介绍了丁坝改善鱼类栖息环境的作用。

丁坝近体最大冲刷深度对丁坝结构设计而言是一个十分重要的参数。本章介绍了几种代表性的丁坝最大冲深经验及半经验公式，并用一个实际的计算例子，对比分析了采用不同公式得到的计算结果，以了解不同公式的预报性能，供实际应用时参考。

8 结　语

本书重点介绍了丁坝近体水流结构和局部冲刷现象。采用可视化的试验方法和数值模拟的技术手段，分析了丁坝局部流动结构及冲刷机理。在此将全书内容做一简要归纳。

8.1 丁坝水流流动特征

丁坝对水流有明显的扰动影响。局部水流产生漩涡和分离，坝头和坝尾区域都将出现分离流及旋转流。因此，丁坝附近的局部流态非常复杂，是一种典型的三维紊动流态。

由于水流的扰动，丁坝附近泥沙冲淤状况将重新调整，从而发生局部冲刷和淤积现象。一般情况下，冲刷发生在丁坝头部，淤积发生在丁坝后回流区。具体冲刷及淤积的幅度取决于水流状况、丁坝尺寸以及河床的泥沙组成条件等因素，丁坝附近的最大冲刷深度发生在坝头端。对丁坝设计而言，最大冲刷深度是一个重要的控制参数，丁坝的埋深须大于可能的最大冲刷深度，以保证丁坝结构的运行稳定性。

8.2 紊流模型及其应用

丁坝近体流动为典型的紊流流动，应用紊流模型模拟丁坝流态，是近年来紊流模拟的一个重要方向。由于标准 k-ε 模型模拟分离流的精度不够，因此改进模型方法，提高紊流模型模拟丁坝流的精度，成为丁坝紊流模型研究的重点。本书将几种改进的紊流模型实际应用于丁坝近体三维流动模拟，包括 Zhu-Shih 修正模型、Speziale-Thangam 的 RNG、Launder-Kato 的修正模型和 Shih 等人发展的非线性紊流模型。比较分析表明，各种改进模型均可在一定程度上提高对丁坝分流的模拟精度，其中非线性模型的模拟精度最高。考虑到非线性模型会较其他线性模型增加计算复杂性及计算时间，实际应用时，可根据具体情况选用合适的线性紊流模型。

8.3 对流项的高精度求解

研究表明，高精度的对流模式对精确模拟局部绕流特性十分必要。本书在介绍了几种常用对流模式的基础上，将 QUICK 模式应用到修正的三维紊流模型中，详细介绍了该模式在计算程序中的数值实现和求解过程。

8.4 丁坝近体的三维流动结构

应用高精度对流求解的三维紊流模型，详细计算分析了丁坝及丁坝群的流动特性，讨论的水动力特征因子包括流速场、紊动能量、河床剪切应力、表面压力、自由水面波动等。这些水动力因子的变化与丁坝尺寸及布设方式有直接的关系。本书进一步分析了水深、丁坝长度、丁坝间距等参数变化对水流结构的影响，结果可为丁坝设计时有关参数的选取提供指导。

8.5 局部冲刷和淤积

伴随着丁坝的使用，将出现丁坝附近的局部冲刷和淤积。局部冲刷深度是丁坝设计的重要控制参数，丁坝基础必须位于可能的最大冲刷深度之下，以保证丁坝结构的稳定性。本书应用发展的泥沙模型，计算分析了丁坝冲刷的发生和发展过程，讨论了丁坝坝头端的冲刷深度随时间的变化以及影响最大冲刷深度的因素，并总结分析了几种常用的最大冲坑经验公式的预报性能，可供在设计丁坝时参考。

参考文献

1 Abbott, M. B. and Basco, D. R. (1989), Computational Fluid Dynamic—An Introduction for Engineer, Longman Scientific & Technical, Harlow, England.

2 Ahmed, M. (1953), Experiments on Design and Behavior of Spur-dikes, Proc. Minnesota International Hydraulics Convention, Minneapolis, MN, p145～159.

3 Akikusa, I., Kittkawa, H., Sakagami, G., et al. (1960), Studies on spur dikes, Report, Institute of Civil Engineering (In Japanese).

4 Avva, R. K., Smith, C. E. and Singhal A. K. (1990), Comparative Study of High and Low Reynolds Number Versions of k-ε Models, AIAA, p90～0246.

5 Biglari, B. and Sturm, T. W. (1998), Numerical Modeling of Flow around Bridge Abutment in Compound Channel, J. of Hydraulic Engineering, ASCE, Vol. 24, February, p156～164.

6 Celenligil, M. C. and Mellor, G. L. (1985), Numerical Solution of Two-dimensional Turbulent Separated Flows Using a Reynolds Stress Closure Model, J. Fluids Eng., Vol. 107, p467～476.

7 Celik, I. and Rodi, W. (1984), Simulation of Free-surface Effects in Turbulent Channel Flows, Physical-Chem, Hydrodyn, 5(3/4), p217～227.

8 Celik, I. and Rodi, W. (1988), Modeling Suspended Sediment Transport in Nonequilibrium Situations, J. of Hydraulic Engineering, ASCE, Vol. 114, No. 10, October, p1157～1191.

9 Dan, N. and Rodi, W. (1982), Calculation of Secondary Currents in Channel Flow, J. Hydraulic Division, ASCE, Vol. 108, No. HY8, August, p949～968.

10 Demuren, A. O. and Rodi, W. (1984), Calculation of Turbulence

Driven Secondary Motion in No-circular Ducts, J. Fluid Mech., Vol. 140, p189～222.

11 Elliott, K. R. and Baker, C. J. (1985), Effect of Pier Spacing on Scour around Bridge Piers, J. of Hydraulic Engineering, ASCE, Vol. 111, No. 7, July, p1105～1168.

12 Froehlich, B. W. (1992), Local Scour at Bridge Abutments, Proc., Nat. Hydr. Conf., ASCE, New York, p13～18.

13 Fujiwara, K., Tominaga, A. and Chiba, S. (1995), Flow Structures around Sour Dike, Proc. of the 50th Annual Conference, JSCE, p566～567 (In Japanese).

14 Fukuoka, S., Watanaba, A. and Nishimura, T. (1990), Three-dimensional Analysis for Determination of Optimal Arrangement of the Groin, Annual Journal of Hydraulic Engineering, JSCE, Vol. 34, p337～342.

15 Garde, R. J., Subramanya, K. and Nambudripad, K. D. (1961), Study of Scour around Spur-Dikes, J. of Hydraulic Division, ASCE, Vol. 87, HY6, November, p23～37.

16 Gill, M. A. (1972), Erosion of Sand Beds around Spur Dikes, J. of Hydraulic Division, ASCE, Vol. 98, HY9, September, p1587～1601.

17 Haney, R. L. (1991), On the Pressure Gradient Force Over Steep Topography in Sigma Coordinate Ocean Models, Phys. Oceanog, 21, p610～619.

18 Hayase, T., Humphrey J. A. C. and Greif, R. A. (1992), Consistently Formulated QUICK Scheme for Fast and Stable Convergence Using Finite-Volume Iterative Calculation Procedures, J. of Computational Physics, 98, p108～118.

19 Hottmans, G. J. C. M. and Verheij, H. J. (1997), Scour Manual, A. A. Balkema, Rotterdam, Netherlands.

20 Huang, W. R. and Spaulding, M. (1995), 3D Model of Estuarine Circulation and Water Quality Induced by Surface Discharges, J. of

Hydraulic Engineering, ASCE, Vol. 121, No. 4, April, p300～311.

21 Hussein, H. J. and Martinuzzi, R. J. (1996), Energy Balance for Turbulent Flow around a Surface Mounted Cube Placed in a Channel, Phys. Fluids, Vol. 8, No. 3, p764～786.

22 Kato, M. and Launder, B. E. (1993), The Modeling of Turbulent Flow around Stationary and Vibrating Square Cylinders, 9th Symposium on Turbulent Shear Flows, Kyoto, Japan, August, 10-4 p1～6.

23 Kawahara, Y. and Fujii, K. (1997), Visualization of Flows around Submerged Groins, Visualization Information, Vol. 17, p159～162 (In Japanese).

24 Kawahara, Y. and Peng, J. (1996): Three-dimensional Numerical Simulation of Flood Flows around Groins, Proc. 2nd Asian Computational Fluid Dynamics Conference, Vol.2, p539～544.

25 Kimura, I. and Hosoda, T. (1997), Fundamental Properties of Flows in Open Channels with Dead Zone, J. Hydraulic Engineering, ASCE, Vol. 123, No. 12, February, p98～107.

26 Klingeman, P. C., Kehe, S. M. and Owusu, Y. A. (1984): Streambank Erosion and Channel Scour Manipulation Using Rockfill Dikes and Gabions, WRRI Report for Project No.373909, Oregon State Univ., Corvallis, Oregon.

27 Launder, B. E. and Spalding, D. B. (1974), The Numerical Computation of Turbulent Flows, Comput. Methods Appl. Mech. Eng., Vol. 3, p269～289.

28 Launder, B. E., Reece, G. J. and Rodi, W. (1975), Progress in the Development of a Reynolds-stress Turbulence Closure, J. Fluid Mech., Vol. 68, Part 3, p537～566.

29 Laursen, E. M. (1963), Analysis of Relief Bridge Scour, J. Hydraulic Divisions, ASCE, 89(3), p93～118.

30 Le, H., Moin, P. and Kim, J. (1997), Direct Numerical Simulation

of Turbulent Flow over a Backward-facing Step，J. Fluid Mech.，Vol. 330，p349～374.

31 Leonard，B. P. (1979)，A Stable and Accurate Convective Modeling Procedure Based on Quadratic Upstream Interpolation，Comput. Methods Appl. Mech. Eng.，Vol. 19，p59～98.

32 Lesieur，M. (1993)，Advance and State of the Art on Large Eddy Simulations，Proc. 5th International Symposium on Refined Flow Modeling and Turbulence Measurement，Paris，September，p3～11.

33 Li，Y. S. and Zhang，M. Y. (1996)，A Semi-implicit Three-dimensional Hydrodynamic Model Incorporating the Influence of Flow-dependent Eddy Viscosity，Bottom Topography and Waver-current Interaction，Applied Ocean Research，18，p173～185.

34 Lim，S. Y. (1994)，Equilibrium Clear-water Scour around an Abutment，J. of Hydraulic Engineering，ASCE，Vol. 123，No. 3，March，p237～243.

35 Liu，H. K.，Chang，F. M. and Skinner，M. M. (1961)，Effect of Bridge Construction on Scour and Backwater，CER60HKL22，Colorado State Univ.，Civ. Engrg. Section，Ft，Collins，Colo.

36 Lumley，J. L. (1978)，Computational Modeling of Turbulent Flows，Adv. Appl. Mech.，18，p124～176.

37 Maday，Y. (1993)，Introduction to Spectral Methods Application to the Stokes Problem，Lecture Series 1993-04 of Computational Fluid Dynamics，von Karman Institute for Fluid Dynamics.

38 Mayerle，R.，Toro，F. M. and Wang，S. S. Y. (1995)，Verification of a Three-dimensional Numerical Model Simulation of the Flow in the Vicinity of Spur Dikes，J. Hydr. Res.，Delft，Netherlands，33(2)，p243～256.

39 Melville，B. W. (1992)，Local Scour at Bridge Abutment，J. of Hydraulic Engineering，ASCE，Vol. 118，No.4，April，p615～631.

40 Melville, B. W. (1997), Pier and Abutment Scour: Integrated Approach, J. of Hydraulic engineering, ASCE, Vol. 123, No. 2, February, p125～135.

41 Meyer-Peter, E. and Muller, R. (1948), Formulas for Bed Load Transport, Proc. 2nd Meeting IAHR, Stockholm, p39～64.

42 Michiue, M. and Hinokidani, O. (1992), Calculation of 2-dimensional Bed Evolution around Spur-dike, Annual Journal of Hydraulic Engineering, JSCE, Vol.36, p61～66 (In Japanese).

43 Mierlo, M. C. L. M. van and Ruiter, D. J. C. C. (1988), Turbulence Measurement above Artificial Dunes, Tow A55, Q789, Delft, Hydraulics.

44 Molls, T., Chaudhry, M. H. and Khan, K. W. (1995), Numerical Simulation of Two-dimensional Flow near a Spur Dike, Advance in Water Resources, Vol. 18, No. 4, p227～236.

45 Moteza, G. (1996), Perspective: The Experimentalist and the Problem of Turbulence in the Age of Super Computers, J. of Fluids Engineering, June, Vol. 118, p223～241.

46 Muneta, N. and Shimizu, Y. (1994), Numerical Analysis Model with Spur-dike Considering the Vertical Flow Velocity Distribution, Annual Journal of Hydraulic Engineering, JSCE, No. 497, p31～39 (In Japanese).

47 Nagano, Y. and Itazu, Y. (1995), Renormalization Group Theory for Turbulence, Proc. of the International Symposium on Mathematical Modeling of Turbulent Flows, Tokyo, Japan, December, p251～256.

48 Neto, A. S. and Grans, D. (1991), Large Eddy Simulation of the Turbulent Flow in the Downstream Region of a Backward Facing Step, Lecture Series 1991-03, von Karman Institute for Fluid Dynamics, p1～10.

49 Ohmoto, T., Hirakawa, R. and Ide, K. (1998), Responses of

secondary Currents and Sediments to Submerged Groynes, Annual Journal of Hydraulic Engineer, JSCE, Vol. 42, p1003～1008.

50 Olsen, N. R. B. and Melaaen, M. C. (1993), Three-dimensional Calculation of Scour around Cylinders , J. of Hydraulic Engineering, ASCE, Vol. 119, No. 9, September, p1048～1054.

51 Ouillon, S. and Dartus, D. (1997), Three-dimensional Computation of Flow around Groyne, J. Hydraulic Engineering, ASCE, Vol. 123, No. 11, November, p962～970.

52 Patankar, S. V. and Spalding, D. B. (1972), A Calculation Procedure for Mass and Momentum Transfer in Three-dimensional Parabolic Flows, Int. J. Heat and Mass Transfer, Vol. 15, p1787.

53 Patankar, S. V. (1980), Numerical Heat Transfer and Fluid Flow, Hemisphere Publishing Corporation, Taylor & Francis Group, New York.

54 Peng, J. and Kawahara, Y. (1998), Application of Linear and Nonlinear k-ε Models to Flows around Spur Dikes, Annual Journal of Hydraulic Engineering, JSCE, Vol. 42, p643～648.

55 Peng, J., Kawahara, Y, and Tamai, N. (1997): Numerical Analysis of Three-dimensional Turbulent Flows around Submerged Groins, Proc. 27th IAHR Congress, San Francisco, Vol. A, p244～249.

56 Philips, N. A. (1957), A Coordinate System Having Some Special Advantages for Numerical Forecasting, J. Meteorology, 14, p184～185.

57 Rahman, M. M., Murata, H., Nagata, N. and Muramoto, Y. (1998), Local Scour around Spur-dike-like Structures and Their Countermeasures Using Sacrificial Piles , Annual Journal of Hydraulic Engineering, JSCE, Vol. 42, p991～996.

58 Rajaratnam, N. and Nawachukwu, B. A. (1983), Flow near Groyne-like Structures, J. Hydraulic Engineering, ASCE, HY3, Vol. 109, p463～480.

59 Raudkivi, A. J. (1986), Functional Trends of Scour at Bridge

Piers, J. of Hydraulic Engineering, ASCE, Vol. 112, No. 1, January, p1～13.

60 Reynolds, W.C.(1987), FundamentalsofTurbulence for Turbulence Modeling and Simulation, Lecture Notes for von Karman Institute.

61 Rijn, L. C. van (1984a), Sediment Transport, Part I: Bed Load Transport, J. of Hydraulic Engineering, ASCE, Vol. 110, No. 10, October, p1431～1456.

62 Rijn, L. C. van (1984b), Sediment Transport, Part III: Bed Forms and Alluvial Roughness, J. of Hydraulic Engineering, ASCE, Vol. 110, No. 12, December, p1733～1754.

63 Rijn, L. C. van (1993), Principles of Sediment Transport in rivers, Estuaries and Coastal Seas, AQUA Publications, Amsterdam, The Netherlands.

64 Rijn, L. C. van (1994), Principles of Fluid Flow and Surface Waves in Rivers, Estuaries, Seas and Oceans, AQUA Publications, Delft, The Netherlands.

65 Rodi, W. (1976), A New Algebraic Relation of Calculating the Reynolds Stresses, ZAMM, 56, p1219～1221.

66 Rodi, W. (1980), Turbulence Models and Their Application in Hydraulics—A State of the Art Review, 2nd Ed., IAHR, Delft, The Netherlands.

67 Rodi, W. (1993), Examples of Turbulence Model Application, Lecture Series 1993-02, von Karman Institute for Fluid Dynamics, p1～52.

68 Sajjad, S. G. and Aldridge, J. N. (1993), Second Momentum Closure Modeling of Turbulent Flow over Sand Ripples, Proc. 5th International Symposium on Refined Flow Modeling and Turbulence Measurements, Paris, September, p49～56.

69 Shih, T. H. (1997), Some Developments in Computational Modeling of Turbulent Flows, Fluid Dynamic Research, 20, p67～96.

70 Shih, T. H., Liou, W. W., Yang, Z. and Zhu, J. (1995), A New k-ε Eddy Viscosity Model for High Reynolds Number Turbulent Flows, Comp. Fluids, Vol. 24, No. 4, p227～238.
71 Shih, T. H. and Lumely, J. L. (1993), Remarks on Turbulent Constitutive Relations, Math. Comput. Modeling, 18, p9～16.
72 Shih, T. H., Zhu, J. and Lumlely, J. L. (1995), A New Reynolds Stress Algebraic Equation Model, Comput. Methods Appl. Mech. Engrg, 125, p287～302.
73 Shimizu, Y. and Itakura, T. (1989), Calculation of Bed Variation in Alluvial Channels, J. of Hydraulic Engineering, ASCE, Vol. 115, No. 3, Match, p367～384.
74 Shyy, W. (1994), Computation Modeling for Fluid Flow and Interfacial Transport, Elsevier, Amsterdam, The Netherlands.
75 Shyy, W. (1996), Computational Fluid Dynamics with Moving Boundaries, Taylor & Francis, Washington.
76 Sinha, S. K., Odgaard, A. J. and Sotiropoulos, F. (1996), Three-dimensional Numerical Model for Turbulent Flows through Natural Rivers of Complex Bathymetry, Flow Modeling and Turbulence Measurements, Balkema, Rotterdam, p573～578.
77 Smith, G. D. (1985), Numerical Solution of Partial Differential Equations: Finite Difference Methods, 3rd Ed, Clarendon Press, Oxford.
78 Spezial, C. G. (1987), On Nonlinear k-l and k-ε Models of Turbulence, J. Fluid Mech., Vol. 178, p450～475.
79 Speziale, C. G. and Ngo, N. (1988), Numerical Solution of Turbulent Flow Past a Backward-facing Step Using a Nonlinear k-ε Model, Int. J. of Eng. Sci., Vol. 26, p1099～1112.
80 Speziale, C. G. and Thangma, S. (1992), Analysis of a RNG Based Turbulence Model for Separated Flows, NASA, CR-189600, ICASE Rept. No. 92-3.
81 Stelling, G. S. and Kester, J. A. T. M. (1994), On the Appro-

ximation of Horizontal Gradient in Sigma Coordinates for Bathymetry with Steep Bottom Slopes, Int. J. for Numerical Method in Fluids, Vol. 18, p915～935.

82 Struiksma, N. (1985), Prediction of 2-D Bed Topography in Rivers, J. of Hydraulic Engineering, ASCE, Vol. 111, No. 8, August, p1169～1182.

83 Sturm, T. W. and Tanjual, N. S. (1994), Clear-water Scour around Abutments in Floodplain, J. of Hydraulic Engineering, ASCE, Vol. 120, No. 8, August, p956～972.

84 Takaki, S., Tu, H. and Ichiyama, M. (1996), 3-D Simulations of Flows around Bridge Piers at River Bend, Proc. Flow Modeling and Turbulence Measurements, Balkema, Rotterdam.

85 Tamai, N, Mizuno, N. and Nakamura, S. (1993), Environmental River Engineering, University of Tokyo Press, p309 (In Japanese).

86 Tingsanchali, T. and Maheswaran (1990), 2-D Depth-Average Flow Computation near Groyne, J. Hydraulic Engineering, ASCE, HY1, 116, p71～86.

87 Tominaga, A. and Chiba, S. (1996), Flow Structure around a Submerged Spur Dike, Proc. of Annual Meeting of Japan Society of Fluid Mechanics, p317～318 (In Japanese).

88 Tominaga, A., Liu, J., Mio, K. and Oohashi, M. (1994), Experimental Study of the Effects of Spur-dike Arrangement Angle on the Flow, Proc. of the 47th Annual Conference, JSCE, p302～303 (In Japanese).

89 Tominaga, A., Nagao, M. and Nezu, I. (1997), Flow Structures and Mixing Processes around Porous and Submerged Sour Dikes, Proc. 27th Congress of IAHR, San Francisco, Theme A, p244～249.

90 Ushijima, S. and Tanaka, N. (1995), Numerical Prediction Method for Local Scour with 3D Body-Fitted Coordinates, Annual Journal of Hydraulic Engineering, JSCE, Vol. 39, February, p683～688 (In

Japanese).
91 Versteeg, H. K. and Malalasekera W. (1995), An Introduction to Computational Fluid Dynamics: The Finite Volume Method, Longman Scientific & Technical, New York, p257.
92 Wu, W. M., Rodi, W. and Thomas, W. (1997), Three-dimensional Calculation of River Flow, Proc. 27th Congress of IAHR, San Francisco, Theme B, p779～784.
93 Yakhot, V., Orszag, S. A., Thangam, S., Gatski, T. B. and Speziale, C. G. (1992), Development of Turbulence Models for Shear Flows by a Double Expansion Technique, Phys. Fluids, Vol. 4, No. 7, p1510～1520.
94 Zeidan, E. and Djilali, N. C. (1995), Multiple-Time Scale Turbulence Model Computations of Flow over a Square Rib, AIAA Journal, Vol. 34, No. 3, p626～629.
95 Zhu, J. and Shih, T. H. (1994), Calculations of Turbulent Separated Flows with Two-equation Turbulence Models, J. Computational Fluid Dynamics, Vol. 3, No. 3, October, p343～354.
96 丁剡. 完全深度平均紊流模型与非恒定天然河流中岸边排污的计算. 清华大学博士论文，1993.12
97 李国斌，韩信，傅津先. 非淹没丁坝下游回流长度及最大回流宽度研究. 泥沙研究，2001(3)
98 李志勤，等.溢流丁坝附近自由水面的实验研究与数值模拟.水利学报，2003(8)
99 张现柱. 中常洪水险工出险原因分析. 水信息网，http://www.hwcc.com.cn，2003.12
100 帕坦卡. 传热与流体流动的数值计算. 张政译. 北京：科学出版社，1980
101 周雪漪. 计算水力学. 北京:清华大学出版社，1995
102 周宜林. 淹没丁坝附近三维水流运动大涡数值模拟. 长江科学院院报，2000(10)